HARAR

ZEILAH
1888

Moschea
di Harar
1988

AMAHRA
OMIHARA

AZÉBÙ
GALLA

OGADEN

OBOCK
1896

DIRE
DAWA
188

A lain Borer, poète
et écrivain,
enseigne aux Beaux-
Arts de Tours. Cet essai,
annoncé par lui à la fin
de son *Rimbaud en
Abyssinie* (Seuil, 1984),
en développe les
conclusions : étape
d'un livre unique sur
un itinéraire de vingt
années – *Le Voleur de
feu*, long métrage (TF1,
1978); *Rimbaud* d'Enid
Starkie, traduction
(Flammarion, 1982);
*Un sieur Rimbaud,
se disant négociant*
(Lachenal et Ritter,
1984, et Le Livre de
poche, 1989); *Rimbaud
d'Arabie, supplément
au voyage* (Seuil, 1991).

Rimbaud, l'heure de la
fuite *a été écrit à Aden,
grâce à l'écoute de
poètes et amis présents,
auxquels il se dédie,
ainsi qu'à Louis-Arthur.*

Familier de Rimbaud
par sa vie et ses
lectures, Hugo Pratt
l'a déjà évoqué dans *Les
Ethiopiques* (Casterman,
1978). Il a réalisé pour
ce livre les dessins
de la couverture,
du prégénérique et
de l'ouverture du
dernier chapitre.

*1ᵉʳ Dépôt légal : février 1991
Dépôt légal : décembre 1991
Numéro d'édition : 54720
ISBN : 2-07-053125-2
Imprimerie Kapp Lahure
Jombart, à Évreux*

RIMBAUD
L'HEURE DE LA FUITE

Alain Borer

DÉCOUVERTES GALLIMARD
LITTÉRATURE

« Ce n'était ni le Diable ni le bon Dieu, c'était Arthur Rimbaud, c'est-à-dire un très grand poète, absolument original, d'une saveur unique, prodigieux linguiste, – un garçon pas comme tout le monde, non certes! – […] de qui la vie est tout en avant dans la lumière et dans la force, belle de logique et d'unité comme son œuvre.»

Paul Verlaine,
Les Hommes d'aujourd'hui,
Vanier, 1888

CHAPITRE PREMIER
MOI

Rimbaud par Carjat,
octobre 1871.
«On se passera de moi.»

«Ane lugubre» (André Gill); «crapaud pustuleux» (Remy de Gourmont); «puberté perverse et superbe» (Mallarmé); «tournesol qui se morfond» (Aragon-Breton); «merveilleux voyou» (Philippe Soupault); «rebelle incarné» (Henry Miller); «monstre de pureté» (Jacques Rivière)...

Aujourd'hui, Rimbaud étonnerait comme Robinson – l'attirail en moins. Voyez-le se faufiler, ici-même, en 1887, dans le souk d'Aden, vêtu d'un pantalon de toile très large et d'une chemise de coton cousus... par ses propres moyens, absolument indifférent à sa dégaine, la ceinture à goussets bourrée de huit kilos d'or, cachée sous une veste gris kaki. Surplombant la foule d'une tête, mince et «très amaigri», il a «le teint kabyle» que remarquait déjà son ami Delahaye lors de leur ultime rencontre, en 1879; mais aussi les cheveux gris sous la chéchia, yeux gris-bleu, petites moustaches blondes, et les traits tirés, fermés, ravagés par d'«atroces fatigues»... Une ombrelle sous le bras (l'ombrelle de feu Labatut, noire doublée de vert), il marche du même pas pressé, à grandes enjambées extravagantes : toujours l'épaule gauche très en avant de la droite...

Même en Abyssinie Rimbaud étonnait – même là-bas, «de l'autre côté» de la mer Rouge, dans cet empire inconnu, sans bourgeoisie ni convention vestimentaire... à la fin de ce XIXᵉ siècle qui avait porté l'individualisme à son comble... – et un commerçant français installé en Ethiopie, Armand Savouré, lui trouvait une «dégaine étrange»; puis à Massaoua, l'escale d'Erythrée, les carabiniers ont appréhendé «cet individu aux allures quelque peu louches». En Ardennes naguère, il lui en fallait, du courage! – se souvenait Delahaye – pour «braver la moquerie de province, la morsure des préjugés», quand ses cheveux châtains tombaient sur ses épaules et descendaient en boucles «jusqu'au milieu du dos». «Prochainement» Rimbaud envisage de rentrer en France pour l'Exposition universelle; conscient toujours de son «air excessivement baroque», et se moquant sans cesse des autres autant que de lui, il ajoute : «Je pourrais... m'exposer moi-même.»

"L' homme était grand, bien bâti, presque athlétique, au visage parfaitement ovale d'ange en exil, avec des cheveux

châtain clair mal en ordre et des yeux d'un bleu pâle inquiétant», se souvient Verlaine, en 1884, révélant au public les *Poètes maudits* (Corbière, Mallarmé, Rimbaud); pendant ces années-là, Rimbaud, qui se photographie lui-même en Abyssinie (ci-contre à Harar, Ethiopie, 1883), voyage seul et loin (ci-dessus son cachet *Abdo Rimb*) : il est parti «trafiquer dans l'inconnu», immense voyage sans retour – sinon pour mourir, la jambe coupée, à l'hôpital de Marseille.

«Attache-toi à nous avec ta voix impossible»

Plus un texte est écrit, plus on entend la voix. Et la voix d'Arthur Rimbaud, qui parlait si peu, qui se voyait «disparaître sans que la nouvelle en ressorte jamais» – cette voix dispersée comme son œuvre à tous les vents, oubliée, effacée ou trop lointaine, nous pouvons l'entendre encore, la retrouver par bribes, en échos brisés – de même qu'il subsiste trente secondes de musique latine...

Petit fragment de voix authentique : mêlée à celle de Mallarmé, qui témoigne de leur brève rencontre au Dîner des Vilains Bonshommes : «en quête aussitôt de "sensations neuves", insistait-il, "pas connues"»... Dix centimètres encore d'enregistrement,

Stéphane Mallarmé (1842-1898; dessin de Luque, *Les Hommes d'aujourd'hui*, 1886) consacrait sa vie à «la seule tâche spirituelle» : le «Livre». Quand Rimbaud lui fut présenté, en 1871, il remarqua les «vastes mains rougies» du jeune poète qu'il qualifiait lui-même de «génial»; puis, il comprit parfaitement que Rimbaud se soit «opéré, vivant, de la poésie».

Verlaine (ci-dessous représenté par Félix Régamey) approuvait, en 1884, l'abandon «logique et nécessaire» de la poésie par Rimbaud, mais il en disait sa «tristesse noire».

dans la mémoire souffrante de Verlaine : «ce que tu m'écrivais : *modifications du même individu sensitif*"... (1875); ou plus tard (1889) : "les *tourisses*" (eût dit Rimbaud)... les "*artiques*" (re-Rimbaud)»... Mgr Jarosseau, évêque de Harar (Ethiopie), se rappelle en 1932 cette confidence du jeune homme étrange : «des écarts d'imagination l'auraient poussé jadis à la *glorification du mal*» : ce n'est pas le vicaire apostolique des Gallas qui s'exprime de cette façon, c'est la voix même d'Arthur Rimbaud que l'on entend au Harar, ses termes familiers qui nous reviennent en un éclat, où l'on reconnaît la *Vierge folle* dans *Une saison en enfer* (1873) : «Je l'écoute, faisant de l'infamie une gloire»... Et quand Isabelle Rimbaud écrit (en 1897) que son frère «se félicitait de n'avoir pas continué l'œuvre de jeunesse parce que *c'était mal*», nous devons entendre pleinement la voix d'Arthur dans la sienne, et la croire sur parole – parce qu'Isabelle ne pouvait pas connaître alors la déclaration de Mgr Jarosseau.

Arthur n'aimait que sa sœur Isabelle (1860-1917). Elle fut sa famille. Isabelle défendra bientôt sa mémoire jusqu'au mensonge militant.

«Moi j'étais abandonné, dans cette maison de campagne…»

Rimbaud est celui que Verlaine appelait «l'homme aux semelles de vent» et qui mourut à trente-sept ans, la jambe coupée très haut. Pendant son dernier été, cet été pourri de 1891, sa sœur Isabelle soigne l'infirme dans la ferme familiale de Roche, non loin de Charleville, au lieu-dit Terre des Loups – tous deux réalisant cette vision d'*Une saison en enfer* : «Je reviendrai, avec des membres de fer, la peau sombre, l'œil furieux.[...] Les femmes soignent ces féroces infirmes retour des pays chauds»... Une ferme de grès rouge, dans la campagne violette des Ardennes; portes

Mgr Jarosseau (1858-1939), précepteur du futur négus Haïlé Sélassié, succédant à Mgr Taurin-Cahagne à la mission catholique de Harar en 1888, fut l'un des rares interlocuteurs de Rimbaud, qu'il jugeait «loin de tout», mais dont il appréciait «la charité très discrète et très large [...] : la seule chose qu'il faisait sans ricaner…»

et volets hermétiquement fermés. Les blés sont gelés, le 10 août 1891. Dans la chambre du haut, Rimbaud, la jambe coupée, gémit et dort les yeux ouverts. Comme dans un film, retenons les indications d'image et de son que précise Isabelle : «toutes lumières, lampes et cierges allumés, au son doux et entretenu d'un petit orgue de barbarie»... Et voici le *flash-back* que recherchent en vain tous les cinéastes : *Rimbaud se raconte lui-même*, stimulé par le pavot que sa sœur va cueillir dans le jardin en pleine nuit; «il repasse sa vie», en vision panoramique.

Lui, dont un premier poème, *Sensation*, annonçait dès 1870 : «Je ne parlerai pas»; lui, se souvient aussi Verlaine (1895), «qui était le plus simple en paroles... en même temps que le plus compliqué des êtres humains qu'il m'avait été donné de rencontrer au cours de ma bizarre existence»... Rimbaud le mutique raconte. Et sa sœur ne nous en dit presque rien.

«A moi. L'histoire d'une de mes folies»

Quand «la mère Rimbe», «la *mother*», passe la tête à la porte entrouverte, Arthur la chasse férocement : malentendu réciproque, aux torts partagés. Il faut dix mille kilomètres entre eux pour établir la communication, ils se ressemblent trop – elle, un peu plus bornée. Arthur en délire n'aura sûrement pas

Roche, canton d'Attigny, Ardennes, lieu-dit Terre des Loups : la ferme des Cuif, qui connut de nombreux drames de famille. Quand Vitalie Cuif, «la *mother*», en reprit possession, en 1873, elle exigeait d'Arthur qu'il donne un coup de main aux travaux des champs. Le grenier de Roche retentit encore des hurlements d'*Une saison en enfer*, en été 1873. Arthur y revint, la jambe coupée, en été 1891, qui fut un hiver – la seule *saison* que connaît le hameau.

non plus nommé son père, Frédéric, capitaine au 47e de ligne : aucun des quatre enfants Rimbaud (Frédéric, Arthur, Vitalie, Isabelle) ne se souvient de lui.

Il a quitté le domicile conjugal le 19 octobre 1854, quelques heures avant la naissance d'Arthur (à six heures du lendemain matin, 20 octobre). On ne l'a revu que deux ans plus tard, pour faire un troisième enfant; puis deux autres encore (Vitalie, 1858; Isabelle, 1860), nées juste neuf

Un portrait du père de Rimbaud (1814-1879) existe; quelqu'un l'a vu trente secondes en 1954. Ses enfants ne le voyaient pas beaucoup non plus. Seul portrait connu de lui, sa signature (ci-dessus) : chef du bureau arabe de Sebdou, en Algérie (1850). Son fait d'arme principal reste d'avoir déserté la famille. Aucun portrait non plus de la «veuve Rimbaud» (1825-1907) : les parent étaient peu présents. Vitalie (à gauche), la première sœur, au cœur tendre, meurt à dix-sept ans, en 1875.

mois après une *permission*; ensuite il
n'est jamais revenu, même au cimetière
de Charleville où tous reposeront sans lui.

Madame Rimbaud signait «Veuve
Rimbaud» longtemps avant sa mort, à leur
insu, le 17 novembre 1878.

«Moi, je me tiens trop mal»

Isabelle, au récit d'Arthur, revoit le
cortège familial qu'ils formaient dans leur
enfance – cette «sale éducation d'enfance»
– avec Vitalie et Frédéric, quand ils
traversaient la place Ducale, à Charleville :

Frédéric (debout)
et Arthur, 1866.
Relire *Les Premières
Communions*...

les deux fillettes ouvraient la marche, suivies des deux garçons, en se tenant la main deux par deux, tous impeccables; puis, comme une cane suivant ses canetons, madame Rimbaud fermait la marche, à distance réglementaire... Isabelle admirait déjà son frère, qui rapportait à la maison les sept premiers prix de l'année scolaire 1869, et triomphait au concours académique : en août 1870, il était revenu avec des couronnes en carton doré, qui sont encore dans un coin. Arthur «suait d'obéissance». *Tu vates eris!* («tu seras Poète»), clamait un de ses devoirs en vers latins... que la mère ne pourrait pas comprendre.

Arthur à dix ans parmi les élèves de l'Institution Rossat (le troisième en partant de la gauche, assis). En 1865, Vitalie Rimbaud, ne pouvant plus faire face aux frais de cette école privée, inscrit ses fils au collège de Charleville (ci-dessus), place du Saint-Sépulcre, (aujourd'hui place de l'Agriculture). Le principal, M. Desdouets, disait d'Arthur : «Rien de banal ne germera dans cette tête; ce sera le génie du Mal ou celui du Bien.»

Place Ducale côté Nord.

quai et Moulin de Charleville

Ville natale, ville fatale. Charleville, créée au XVIIᵉ siècle par Charles de Gonzague, gouverneur de Champagne, aujourd'hui Charleville-Mézières, préfecture des Ardennes.

A gauche, l'admirable place Ducale, réplique de la place des Vosges à Paris. Rimbaud naquit rue Thiers (ci-dessus), et *Le Bateau ivre* fut conçu auprès du Vieux Moulin (aujourd'hui Musée Rimbaud), avec la Meuse en sous-sol.

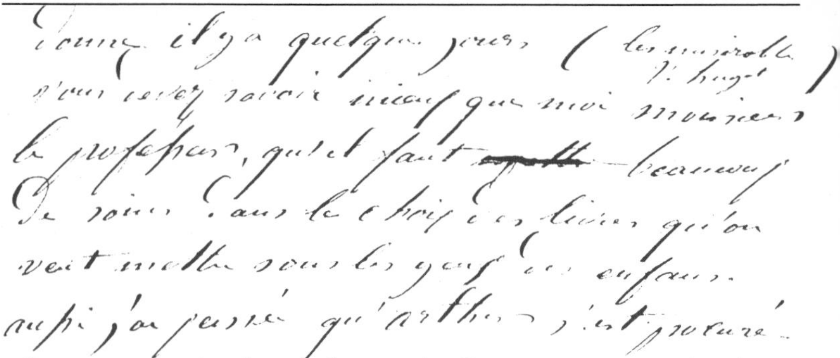
donné il y a quelques jours (Les misérables V. Hugot)
vous devez savoir mieux que moi monsieur
le professeur, qu'il faut beaucoup
de soins dans le choix des livres qu'on
veut mettre sous les yeux des enfants.
aussi j'ai pensé qu'Arthur s'est procuré...

On a souvent un professeur dans sa vie : Georges Izambard, nommé en janvier 1870, fut quelque temps le père qui lui manquait, complice en poésie, fournisseur de livres, compensant les «atroces résolutions d'une mère aussi inflexible que soixante-treize administrations à casquette de plomb». Lors d'une fugue à Paris, il fut arrêté et emprisonné, le 31 août 1870, faute de billet de train. Izambard le fit délivrer – mais pour l'«enfermer» à nouveau, le rendre à la mère, prête à «lui enfoncer un mouchoir de dégoût dans la bouche»... Puis la guerre, en décembre 1870, ravage les Ardennes, et bouleverse la vie.

Communard de cœur, Parnassien de coiffure, Arthur refuse de retourner au lycée, dont les cours reprennent au Théâtre municipal, déclarant qu'il n'a «aucun goût pour les planches». Isabelle se rappelle aussi l'angoisse de leur mère cherchant partout son fils dans Mézières détruite par les obus de Bismark.

«Jeunesse de cet être-ci : moi!»

Ce n'est pas en décembre 1891, par les journaux, mais bien dès cette nuit d'août 1891 qu'Isabelle, sans connaître encore aucun poème, apprend de son frère qu'il

«Je vous aimerai comme un père», écrivait Rimbaud à son professeur de rhétorique. Mais Izambard (1848-1931) était jeune, lui aussi : «J'avais cinq ans de plus que lui.» Madame veuve Rimbaud lui écrit (4 mai 1870, ci-dessus) pour lui faire la leçon : «Mais il est une chose que je ne saurais approuver, par exemple la lecture [...] des *Misérables* [de] V. Hugo» (qu'elle écrit Hugot). Education à régime sévère. Izambard capitule.

Un des nombreux dessins de la main d'Arthur, exécutés au verso des planches de sa géographie. Il croque les «bourgeois poussifs» (*A la musique*) – et n'en ferait qu'une bouchée.

s'était... mêlé d'écrire. Parmi les «mille souvenirs» du malheureux en larmes, rien que des sarcasmes à l'encontre des poètes et artistes, ces «oiseaux» qu'il avait reproché à Baudelaire de fréquenter, rien que du dégoût pour la littérature à laquelle il avait renoncé presque aussitôt... Tout s'était précipité, en septembre 1871, avec cette lettre enthousiaste à Verlaine, étoile montante de la jeune poésie qui lui avait répondu : «Venez, chère grande âme, on vous appelle, on vous attend.» Mais en quelques mois au quartier latin, le jeune poète génial, objet de curiosité, était devenu l'opprobre des gens de lettres : «terrible d'aspect», cynique et scandaleux, le protégé de Verlaine s'affichait son amant, puis l'entraînait au loin, en Belgique et à Londres pour une vie farouche de misère et de «liberté libre», au mépris de sa notoriété et brisant son ménage. La famille savait tout de «ces disgrâces avec Arthur», comme l'écrivait pudiquement madame Rimbaud à Verlaine :

Manet, *Fusillade des Communards*. Pendant la semaine sanglante (22-28 mai 1871), les Versaillais fusillent 17000 insurgés. Rimbaud solidaire par le cœur et la chevelure.

la mère et les deux sœurs ne sont pas près d'oublier le retour du fils à Roche, après le «drame de Bruxelles», en été 1873, pleurant «O Verlaine... Verlaine...», la main gauche blessée par les coups de feu de son compagnon.

«Moi, ma vie n'est pas assez pesante»

Atterrée, Isabelle s'émerveille et s'apitoie à l'évocation de «l'enfance mendiante» par toutes les routes d'Europe, d'Afrique ou d'Orient, que suggérait depuis quinze ans la correspondance hâtive de son frère : «Je pense toujours à Isabelle; c'est à elle que j'écris chaque fois» (Aden, 1883). La sœur dévouée, toute à sa solitude, à sa sollicitude, ne songe pas à transcrire ces récits qui la fascinent, mille aventures «épastrouillantes» (comme disait Ernest Delahaye, autre stupéfait), mille métiers : répétiteur à Londres en 1874, débardeur à Marseille en 1875, mercenaire des Indes néerlandaises et déserteur à Java (1876), accompagnateur de cirque (sans doute) en Scandinavie (1877), ou contremaître à Chypre en 1878; mille rencontres, chemin faisant, avec des

L antimilitarisme affiché pendant l'occupation des *Prussmars* à Vouziers, le «patrouillotisme» moqué, se doublent d'une quête d'ordre paternel : Rimbaud rêve ou endossera plusieurs uniformes, dans plusieurs armées – pour voyager.

voyageurs ou des hôtes d'un jour. «Pas une famille d'Europe que je ne connaisse»!

Ni les «cavalcades insensées» dans cet empire d'Abyssinie, pratiquement inexploré, qu'il connaît admirablement, depuis 1880... «Moi, j'ai été bien éprouvé, ici», au Harar – et partout... Isabelle connaît la suite : une chute de cheval à Diré Daoua, le genou droit «gros comme une citrouille»; la fuite en civière, en avril de cette année 1891, Arthur au paroxysme de la douleur, porté par seize Noirs au pas de charge pendant trois cents kilomètres de désert, des monts du Harar jusqu'à la côte de la mer Rouge; l'amputation, aussitôt arrivé à Marseille, le 27 mai; et le pire est devant eux. «Impuissante à le consoler», Isabelle découvre ce sentiment vertigineux de la liberté totale dont Verlaine, de son côté, ne s'est toujours pas remis. Elle éprouve en même temps le

A nnées 1870-71 : pattes de mouches et bruits de bottes traversent les pages des livres, détruisent les villes et les vies : *Souvenir de l'occupation à Charleville* défilant ici et «sous les allées»; souvenir de Mézières après les bombardements de 71 – images à écouter.

malaise profond de cette quête insensée : qu'est-ce qu'il appelle «la vraie vie»? Elle ne comprend pas très bien et note brièvement : «Il m'enseigne le vrai bonheur de la vie»; mais elle pleure

avec Arthur au «bonheur perdu» et le quitte à
l'aurore, sans bruit.

«Moi, qui me suis dit mage, ou ange»

Quelques nuits plus tard, la mère et la sœur
entendent à l'étage «le bruit d'une chute lourde».
Elles se précipitent et découvrent, le cœur serré,
ce spectacle lamentable, presque toujours oublié :
Arthur allongé par terre de tout son «grand corps»,
la jambe coupée, complètement nu (les biographes
disent «déshabillé»), incapable de se relever : «Il était
étendu, complètement nu sur le tapis.[...] Se figurant
ingambe et cherchant à saisir quelque vision
imaginaire apparue, puis enfuie, réfugiée peut-être
en un angle de la chambre, il avait voulu descendre
de son lit et poursuivre l'illusion...»
   Il faut relire *Bottom*, à cet instant – comme si
ce poème des *Illuminations* venait de
s'accomplir : pour fuir «la réalité trop épineuse»,
le poète se voit en «gros oiseau gris bleu
s'essorant vers les moulures du plafond», puis
en «gros ours au poil chenu de chagrin au pied
du baldaquin», et rêve enfin une course
exaltée aux champs dans l'aube, une course d'âne

délivré, triomphant... En cette nuit tragique des derniers mois, la «vision imaginaire», aperçue et poursuivie «en un angle de la chambre» puis «la chute lourde de son grand corps» reproduisent ce mouvement de l'*Impossible* qui règle l'œuvre de Rimbaud tout autant que sa vie en une courbe fatale : vision, hallucination, idée (tous les «J'ai vu» du *Bateau ivre*, toutes les entreprises d'une vie); puis poursuite exaltée des chimères, désir éperdu de l'impossible (tous les «J'irai», «Allons!» des poèmes et des lettres); enfin la chute irrémédiable («Je suis rendu au sol»), à laquelle il se sait condamné dès toujours. Tel est le défi qu'il nous lance un *Matin* : «Tâchez de raconter ma chute et mon sommeil.»

En un siècle, cent cinquante livres ont relevé ce défi (ce qui est relativement peu, contrairement à la légende), mais on a beaucoup parlé... «Bien des avis se partagèrent sur Rimbaud, l'individu et le poète» : il importe d'écouter chaque mot de Verlaine, dans cette magistrale synthèse de 1888, Verlaine qui l'a connu, aimé, compris; qui n'a pu faire qu'un petit bout de chemin avec lui, trop exigeant, trop intransigeant – deux années d'enfer qui s'achevaient en prison, humilié, ruiné, détruit –; mais qui s'est fait un «devoir sacré» de l'imposer contre son époque,

Rimbaud fut accueilli à Paris comme un «génie qui se lève», recueilli même – les poètes se cotisèrent en sa faveur. «Je ne crois qu'homme eût jamais été l'objet d'une aussi gentille fraternité», écrit Verlaine (page de gauche, tel que Rimbaud le connut à cette époque, en 1871, déjà célèbre à vingt-sept ans). Parmi les victimes de Rimbaud : le photographe Etienne Carjat (1828-1906; dessiné par l'illustre Nadar.)

En 1872, Rimbaud se mêlait aux «Vilains Bonshommes» (ci-dessus, trois d'entre eux : Verlaine, Albert Mérat, Catulle Mendès), auteurs de l'*Album Zutique*, qui ne taquinaient pas la Muse...

appuyant de toute son autorité de
«prince des poètes» la publication
des *Poètes Maudits* (1884, 1888),
puis des *Illuminations* (1886), à
l'insu même de l'intéressé, si l'on
peut l'appeler ainsi. Verlaine,
avec lucidité, ténacité – et
un courage qui compense
quelques aspects
insupportables –, pouvait
écrire en préface des
Poésies complètes (1895) :
«Justice est faite et bien
faite»...

   Pourtant, un tiers
seulement de l'œuvre
de Rimbaud a pu être
retrouvée; la première
grande flambée de
rimbaldisme n'eut
lieu que dans les
années trente; il
n'a été admis dans les
manuels et par l'Université
que dans les années cinquante;
et il a fallu attendre le centenaire
de l'Œuvre pour disposer des
premières éditions à peu près
complètes et correctes : son image et sa
cote se sont améliorées de 1954 à 1991, à l'ère
naissante de la télévision et du livre de poche,
comme s'il se portait mieux à la fin du XXe siècle...

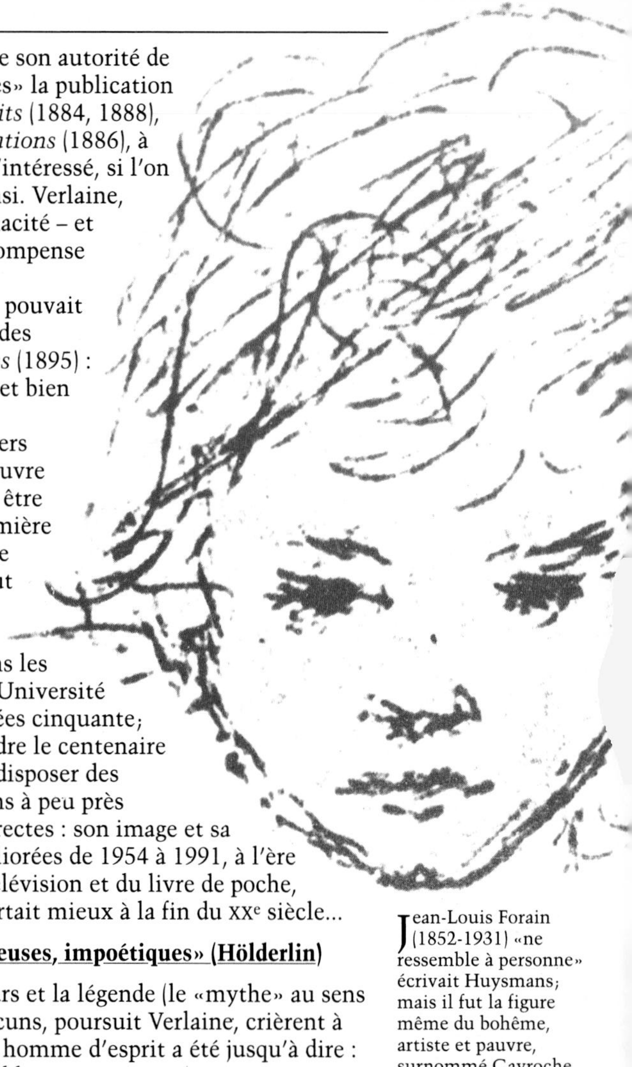

«Les voix nombreuses, impoétiques» (Hölderlin)

D'où tant d'erreurs et la légende (le «mythe» au sens
vulgaire) : «D'aucuns, poursuit Verlaine, crièrent à
ceci et à cela; un homme d'esprit a été jusqu'à dire :
"Mais c'est le diable!"» De son côté, Paterne
Berrichon, un piètre poète «anarchiste d'origine
décadente», organisait l'hagiographie familiale :
«Voulez-vous être du complot?», proposait-il à
Isabelle, sa future épouse, prête à pousser le
dévouement jusque-là : encourager à taire certains

Jean-Louis Forain
(1852-1931) «ne
ressemble à personne»
écrivait Huysmans;
mais il fut la figure
même du bohême,
artiste et pauvre,
surnommé Gavroche.
Verlaine, Rimbaud et
lui formèrent quelques
mois un trio.

faits; censurer, sanctifier... Rimbaud se trouvait à mille lieues de ces préoccupations quand l'Ecole décadente, rivale acharnée des symbolistes, le reconnaissait pour chef. Plus tard les surréalistes, en leur période dogmatique, n'acceptaient que la figure du voyant révolté, tandis que les jeunes poètes du Grand Jeu leur opposaient en 1929 celle du voyant initiatique... Et à travers la *Beat Generation* en quête de «la vraie vie», les slogans rimbaldiens de Mai 68, ou l'impasse formaliste des années soixante-dix, l'histoire littéraire n'a pas su se former de Rimbaud une image totale.

«C'était aussi frivole que moi lui disant : "Je te comprends"»

Le Mythe de Rimbaud, thèse soutenue dans les années cinquante et marquée par l'époque, s'efforçait – à première vue – de fustiger le bêtisier : elle appartenait à l'historiographie, ou à la sociologie, nullement à la connaissance de Rimbaud, qu'elle esquivait. «Ce labeur de ramassage, remarquait René Char, n'ajoute pas deux gouttes de pluie à l'ondée, deux pelures d'orange de plus au rayon de soleil qui gouvernent nos lectures.» Volumineuse et

Fin janvier 1872. Dans l'entresol d'une brasserie du quartier Saint-Sulpice, les Vilains Bonhommes récitent des sonnets académiques; Rimbaud, du fond de la salle, ponctue chaque vers d'un «Merde» retentissant. Tollé! On finit par sortir l'importun – qui attend, furieux, dans les vestiaires, la sortie des convives : quand paraît Carjat, il se jette sur lui, et le blesse avec la canne-épée de Mérat. On reconduit l'agresseur chez lui, rue Campagne-Première. Carjat brisera les clichés qu'il avait pris de son «assassin». Sous ce portrait angélique de Rimbaud (page de gauche), Forain tire la moralité de l'incident : «Qui s'y frotte s'y pique». Episode d'adolescence : «la puberté perverse et superbe», dont parle Mallarmé. Mais «qui s'y frotte s'y pique» vaut pour toute la vie de Rimbaud.

inconsistante, la thèse qui s'ouvrait sur une citation de l'auteur par Soi-même, et trouvait la matière d'un chapitre entier à reproduire et commenter les échos de presse dithyrambiques de sa propre soutenance... se dispensait de définir le mot «mythe», vide de tout contenu, renvoyant à Moi-Je-La-Vérité... Puis le Censeur, acharné à corriger le moindre entrefilet sur Rimbaud, reproduisait à son tour d'énormes erreurs : tumulus de futilité, cette thèse, partielle et partiale, était d'ailleurs inutilisable.

Mais *Le Mythe de Rimbaud* – une expression malheureuse, formulée pour la première fois par Charles Maurras en 1892 – se constituait en machine de guerre pour annoncer, selon le mot de ce dernier, que ce mythe «ne durera pas» : Rimbaud, traité de «bourgeois», de «sodomite», de «traître» à ses idéaux de jeunesse, de «voyou», serait un poète inférieur à Supervielle... Au préjudice de sa mémoire il ne manquait plus que ces inculpations tardives (1939, 1965) de «négrier», aggravées d'«esclavagiste» : calomnies qui mettaient en plein jour la vindicte des procureurs, leur ignorance de l'histoire et de la géographie arabes et abyssines, et leur méconnaissance de la personnalité du poète.

Une saison en enfer : «Je me voyais devant une foule exaspérée, en face du peloton d'exécution, pleurant du malheur qu'ils n'aient pu comprendre, et pardonnant ! – Comme Jeanne d'Arc ! Prêtres, professeurs, maîtres, vous vous trompez...» Rimbaud ne fut... pas tout à fait Jeanne d'Arc, mais il eut son évêque Cauchon : on lui fit un procès en Sorbonne

Quatre personnages heureux ensemble un bref instant. Il s'agit probablement de Cabaner, Verlaine, sa femme Mathilde et Rimbaud (dans la pénombre), avec «ce regard qui cherche loin» (Yves Bonnefoy).

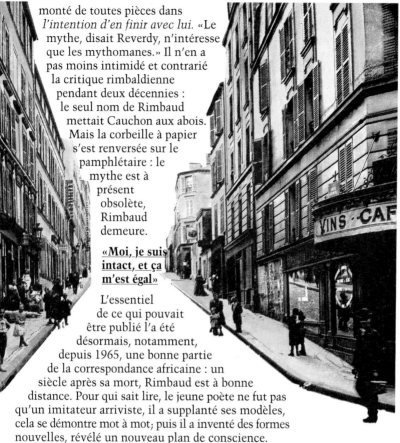

monté de toutes pièces dans
l'intention d'en finir avec lui. «Le
mythe, disait Reverdy, n'intéresse
que les mythomanes.» Il n'en a
pas moins intimidé et contrarié
la critique rimbaldienne
pendant deux décennies :
le seul nom de Rimbaud
mettait Cauchon aux abois.
Mais la corbeille à papier
s'est renversée sur le
pamphlétaire : le
mythe est à
présent
obsolète,
Rimbaud
demeure.

«Moi, je suis intact, et ça m'est égal»

L'essentiel
de ce qui pouvait
être publié l'a été
désormais, notamment,
depuis 1965, une bonne partie
de la correspondance africaine : un
siècle après sa mort, Rimbaud est à bonne
distance. Pour qui sait lire, le jeune poète ne fut pas
qu'un imitateur arriviste, il a supplanté ses modèles,
cela se démontre mot à mot; puis il a inventé des formes
nouvelles, révélé un nouveau plan de conscience.
Pour qui est soucieux de la réalité, Rimbaud en effet
connaissait bien des langues, peu ou prou, dont l'arabe
à la perfection; il fut, «lui qu'on a voulu travestir en
loup-garou», dit encore Verlaine, généreux, toute sa
vie, charitable même; aucun détail bien compris ne
permet de le traiter de bourgeois, quelque sens que
l'on donne à ce mot; il n'a pas, certes, trafiqué les
esclaves ni ne fut esclavagiste; sa vie ne contredit
pas son œuvre, tout au contraire, l'une et l'autre
s'éclairent indissociablement – c'est ce qui reste
à démontrer, pour lui donner sa juste place.

Verlaine avait
répondu au jeune
poète de Charleville :
«Venez, chère grande
âme, on vous appelle,
on vous attend.» Il
l'attendait là, rue
Nicolet, à Montmartre,
chez ses beaux-parents!

Rimbaud se comprend en effet par le *mythe* (au sens noble de Mircéa Eliade ou de Levi Strauss), prométhéen du voleur de feu, chrétien du péché originel, luciférien de l'orgueil en révolte, faustien de la déparadisation; par l'initiation aux pouvoirs surnaturels qui mènent à la limite de la folie, à cette lisière qu'ont franchie, parfois de façon analogue, Hölderlin, Blake, Nietzsche ou Artaud; mais pas seulement…

Les contradictions apparentes de Rimbaud ont porté massivement la critique à distinguer «deux Rimbaud» : Segalen voyait double en 1900 avec son *Double Rimbaud*; André Breton n'hésitait pas à accuser Rimbaud de «lâcheté» et lançait un superbe et ridicule «Pas de Harar pour moi!» (1924); Yves Bonnefoy commençait son *Rimbaud par lui-même* (1961) par cette recommandation parfaite : «pour comprendre Rimbaud, lisons Rimbaud»…, mais l'achevait par cette autre : «Ne lisons pas les lettres de Rimbaud l'Africain». Y aurait-il quelque… coupure *épistémologique*? On nous a déjà fait le coup! En 1933, Benjamin Fondane résumait ce recours à la dichotomie de façon particulièrement caricaturale : «Dans la première phase de sa vie, Rimbaud refoule si effroyablement son moi ascétique que celui-ci reprend le dessus dans la seconde phase. De là, notre impression d'avoir affaire à un voyou avec le premier Rimbaud, à un saint avec le second…» En un siècle, pas un critique n'a entendu la synthèse de Verlaine, qui poursuivait (1888) : «…lui, dont la vie est tout en avant dans la lumière et dans la force, belle de logique et d'unité, comme son œuvre.»

«L'explosion qui éclaire mon abîme»

La réputation d'hermétisme, d'obscurité (un linguiste parle même d'«illisibilité»!), faite aux *Illuminations* et à d'autres textes laisse perplexe sur la capacité à lire la

Ernest Delahaye (1853-1930). L'ami. Admirateur, confident, témoin principal de l'enfance et des premiers poèmes, de la liaison avec Verlaine, de la gloire naissante et de la disparition, Delahaye dessinait quelques épisodes cocasses; puis resté seul il les imaginait.

RIMBA
au moment où il
population de Charleville

poésie moderne : un éclair n'est pas obscur, il zèbre la nuit d'un instant de vérité, comme une écriture çoufi; nous sommes réduits au silence par l'éclair – mais nous le captons, dans sa pure évidence... Prenons un poème, *Vagabonds*, paru dans les *Illuminations*. Le texte s'achève sur cette... obscure clarté : «... et nous errions, nourris du vin des cavernes et du biscuit de la route, moi pressé de trouver le lieu et la formule.»

Dans le grenier de Roche où Rimbaud écrivait (criait) *Une saison en enfer*, sa mère l'avait questionné sur la «signification» de ces «troublants poèmes»; il lui répondit (à nouveau reconnaissons sa voix dans ce souvenir d'Isabelle) : «J'ai voulu dire ce que ça dit, littéralement et dans tous les sens»... Prenons «moi pressé de trouver le lieu et la formule» littéralement et dans tous les sens. Il faut d'abord considérer cet éclair dans sa splendeur : la compréhension survient quelques instants plus tard, avec le *bang*.

"Merde à Dieu", écrivait Rimbaud sur les bancs des promenades. Sa chevelure diffusait le même message à tous ceux qui s'en offusquaient.

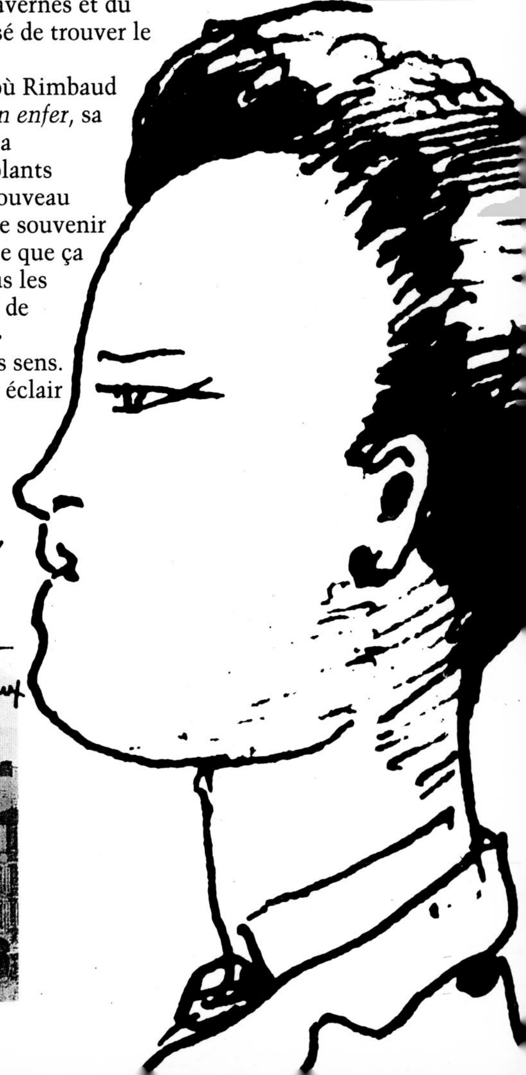

D en 1871

ient de rassurer la se faisant couper les cheveux

Rimbaud est né en même temps que Freud, Pétain, ou Buffalo Bill. Il est mort à trente-sept ans, l'âge des grands artistes brûlés : Raphaël, Le Caravage ou Van Gogh. Sa précocité – il écrit *Une saison en enfer* à dix-neuf ans – était celle d'un homme qui, sans cesse, prenait les devants : Rimbaud fut l'homme pressé de son siècle. La remise à plus tard.

CHAPITRE II
PRESSÉ

« Que la prière galope et que la lumière gronde… » Arthur Rimbaud, *L'Eclair, Une saison en enfer* (1873). En page de gauche : Gustave Moreau, *Le Cavalier écossais* (1871). Ci-contre, *Le Nouveau Juif errant*, dessin d'Ernest Delahaye (1876).

«J'ai toujours été pressé»

«Aujourd'hui, pas le temps». C'était un jour de 1878, à Alexandrie. Mais dix fois Rimbaud écrit... pour dire qu'il n'a pas le temps d'écrire : «Je n'ai pas le temps d'en dire plus aujourd'hui», affirme-t-il depuis Aden, en 1882 – un dimanche, en Arabie! Gide était fort mal renseigné, pour imaginer Rimbaud à Harar «accroupi à l'orientale, passant toutes ses journées à fumer»! Dans un de ces délires de l'été 1891, Arthur soudain confond sa sœur avec Djami, son jeune serviteur abyssin, et l'on assiste alors à une scène de sa vie quotidienne au Harar : «Il faut travailler, tenir les écritures, faire des lettres. Vite, vite, on nous attend, fermons les valises et partons.» Cet empressement n'est pas survenu en Abyssinie; nous en reconnaissons l'écho dès les premières lettres de Charleville, en 1870 : «Allons, chapeau, capote, les deux poings dans les poches, et sortons!» Rimbaud a passé toute sa vie en état d'urgence, l'urgence est son état. Jamais il n'a perdu cette belle énergie de mai 1871, «quand les colères folles [le] poussent vers la bataille de Paris». «Horrible travailleur» de la poésie, lecteur au British Museum, ou négociant en Abyssinie, il déploie une activité ahurissante, à toute vitesse. «Chez vous, tout marche à la vapeur», lui écrivait l'ingénieur suisse Alfred Ilg en 1888. Tel est ce «météore» que Mallarmé a vu passer dans le ciel des lettres, en 1872, et qui poursuit sa course au loin – en Afrique et en Arabie, où son employeur Alfred Bardey, exportateur de moka d'Arabie, disait qu'il ne pouvait «pas plus le retenir qu'une étoile filante».

VERS LATINS.

1er Prix. Rimbaud, Arthur,
2e Prix. Dupont, Charles, 2.
1er Acc. Henry, Léon, 3.
2e Acc. Denis, Auguste, 3.
3e Acc. Godefroy, Félix, 2.
4e Acc. Jeanjot, Evrard, 2.
5e Acc. Billuart, Léon, de Fumay.

VERSION LATINE.

1er Prix. Rimbaud, Arthur,
2e Prix. Poncelet, Léon, de Nohan.
1er Acc. Godefroy, Félix, 4.
2e Acc. Denis, Auguste, 4.

VERSION GRECQUE.

1er Prix. Rimbaud, Arthur,
2e Prix. Labouverie, Emile, 3.
1er Acc. Godefroy, Félix, 5.
2e Acc. Larue, Paul, 3.
3e Acc. Henry, Léon, 4.
4e Acc. Delahaut, Jules, 2.
5e Acc. Dupont, Charles, 3.

HISTOIRE ET GÉOGRAPHIE

1er Prix. Rim
2e Prix. Lassaux, Pierre, de Thin-le
1er Acc. Denis, Auguste, 6.

Concours Académique.

1er Prix. Rimb
Jean-Nicolas-Arthur, de Ch

Ce palmarès de l'élève Rimbaud (extrait de l'année scolaire 1868-1869) révèle aussi l'avidité de savoir, et le projet d'arriver, de parvenir; ces formes de la hâte ne le quitteront jamais «car peu sont instruits comme cet ancien écolier buissonnier», remarquait Verlaine en 1888...

«Bref, aux Norwèges les Florides»

LA CHARGE

JOURNAL SATIRIQUE HEBDOMADAIRE

LE NUMÉRO : DIX CENTIMES

LA FRANCE, PAR ALFRED LE PETIT

Nous rappelons au public que ce Numéro est vendu au profit des blessés des Armées

«Si mes lettres sont trop brèves, c'est que j'ai toujours été pressé»... Connaissant tout des régions inexplorées d'Afrique orientale où il vécut dix années, de 1881 à 1891, Rimbaud se proposait d'envoyer des «choses très intéressantes» au *Temps* ou au *Figaro*; mais il ne trouvait jamais non plus le temps... d'écrire pour *Le Temps*. Pendant plusieurs années il parcourut en Europe «les mille rapides ornières de la route humide», sans s'attarder nulle part, et c'est encore «au pas accéléré», en 1888, qu'il s'en allait dans le Choa. Sur vingt-deux années sa correspondance s'est écrite d'un trait, sur-le-champ, sans brouillon, sans double, à quelques exceptions près; des lettres, ou plutôt des *brèves*. Pas de bavardages : le mutique condense ses phrases en «courtes explications». L'abandon de la littérature ne fit pas l'objet d'une conférence de presse : trois mots... S'il apprend la musique, en 1874, pas question de solfège : improvisations. Il ne pouvait même pas attendre qu'on livrât un piano chez sa mère, et taillait un clavier sur le bord de la table!

«...possession immédiate, élan insensé et infini...»

A la longue patience de l'ouvrage classique, Rimbaud substitue, le premier, l'impatience moderne : *Illuminations*. Distinguons avec lui la Poésie du poème : la Poésie est une essence pure, le poème n'en est que l'accident. Toute l'entreprise du poète fut de

Pressé d'*arriver*, le jeune poète publie *Trois Baisers* dans *La Charge* (ci-contre, en août 1870), journal ultra-conservateur, puis adresse aux Parnassiens leur cri de ralliement : «anch' io» : l'enthousiasme, forme joyeuse de l'impatience... Sa poésie dira «la célérité [un mot qu'il affectionnait] de la rampe» (*Mouvement*), ou «la terrible célérité de la perfection des formes» (*Génie*, les *Illuminations*).

Fragment de la couverture du livre de prix reçu par Arthur au collège de Charleville (page de gauche). Mais pour lui les livres n'ont pas de prix. Cet «extraordinairement précoce sérieux» que remarquait Verlaine (*Mes prisons*, 1893) ne l'a jamais quitté non plus. «Pas un livre!» se lamente-t-il toute sa vie : à Roche, en mai 1873, ou à Aden, en 1881 (au diable vauvert), où il se fait envoyer des malles entières d'ouvrages scientifiques et techniques, d'un coût très élevé. Lecteur boulimique chez Izambard, à la bibliothèque de Charleville, passant toutes ses journées au British Museum (1874), ou à la bibliothèque de Stuttgart (1875).

Et j'irai loin, bien loin
Par la Nature ... heureux

saisir l'une dans l'autre : de faire coïncider l'essence de la Poésie dans l'existence du poème. Autrement dit Rimbaud tente de saisir la poésie *immédiatement* : sans délai, mais aussi *sans médiation* – sans passer par la forme pré-établie (sonnet ou autre) qui exige un travail en deux temps : d'abord l'inspiration, ensuite l'ouvrage, cent fois remis sur le métier... Il fut un poète impatient, pressé de trouver cette formule inouïe de la Poésie. Inversement, l'impatience est la forme générale de cette poésie, comme de sa vie : les *Illuminations*, où un poète contemporain (Philippe Jaccottet) perçoit «la hâte violente d'un torrent», surgissent hors de la durée du travail, comme des *brouillons parfaits*.

Manuscrit de *Sensation* (1870, ci-dessus). Ernest Delahaye : «Rimbaud était un sensationniste assez impatient, il voulait tout de suite une couleur dont il pût jouir, une couleur qu'il ne fût pas obligé de deviner à force de vénération pour les gloires traditionnelles...» (Les *Illuminations* et *Une saison en enfer*, Messein, 1927).

«Toi, tes calculs, toi, tes impatiences», gémit la Vierge folle : pressé d'arriver

«Son extraordinairement précoce sérieux» dont parlait Verlaine, il faut le remarquer déjà chez ce petit écolier en képi, qui s'appliquait à travailler plus vite, et mieux, que ses camarades de l'Institution Rossat – surtout quand ces derniers étaient séminaristes – pour leur souffler en trois ans (1861-1864, de la

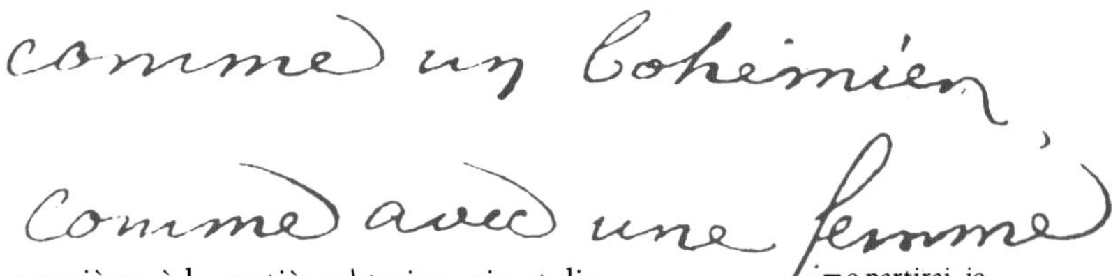

comme un Bohémien,

Comme avec une femme)

neuvième à la septième) treize prix et dix nominations. Au lycée de sa ville natale, s'il n'a pas sauté une classe, comme on l'a cru longtemps, «il travaillait vite et bien», témoigne le professeur Izambard, et remporta – triomphe jamais égalé – trente-six prix en cinq années scolaires, de 1865 à 1870. Un de ses anciens condisciples, Delahaut, se rappelle comment Rimbaud «pouvait bâcler, en un rien de temps» des vers latins au courant de la plume. Tout est dans la manière... dont Rimbaud remporta le premier prix de vers latins au concours de l'Académie de Douai, le 2 juillet 1869 : l'épreuve se déroulait de six heures du matin à midi; à neuf heures, le principal, M. Desdouets, vint voir où en était son poulain : il n'avait pas écrit un mot! «J'ai faim», disait-il. On lui apporta des tartines; il les mangea, au milieu des rires étouffés, puis saisit son porte-plume : quatre-vingt-deux vers latins en moins de

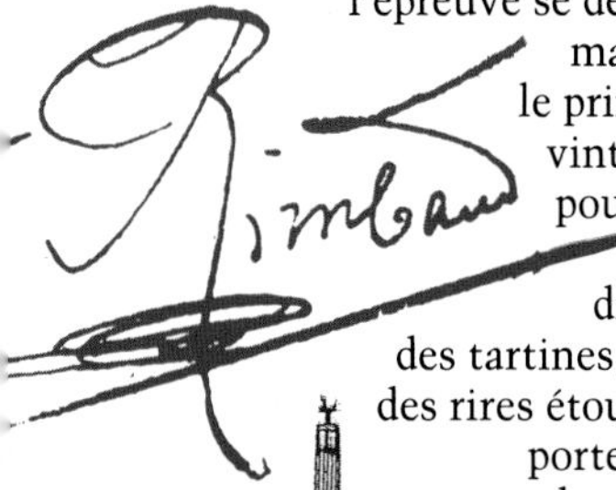

"Je partirai, je partirai», répétait-il à Izambard. Mais pas bien loin. Lors de son premier départ pour Paris, le 29 août 1870, depuis Charleroi, il est appréhendé à la gare du Nord et transféré au dépôt : séjour à la prison de Mazas (ci-dessous, située boulevard Diderot à Paris, aujourd'hui détruite), le 31 août. Izambard paiera les treize francs de train : retour au départ. «Qui trop se hâte s'empêche», dit un proverbe latin. Rimbaud ira «...loin, bien loin...» – la prochaine fois.

trois heures, *Jugurtha*. A la même époque – à seize ans – Rimbaud composait des vers plus surprenants que ceux de Victor Hugo à la pension Decotte.

«On n'est pas sérieux quand on a dix-sept ans», dit un célèbre poème d'adolescence, *Roman*. «Ce qu'il y a de vraiment amusant, note Verlaine, c'est que Rimbaud, quand il écrivit ces vers, n'avait que seize ans»... Il envoie ses poèmes au maître de l'école parnassienne, Théodore de Banville, précédés de ce petit mensonge : «J'ai dix-sept ans»... La hâte de paraître plus âgé, d'être plus en avant dans le temps, était aussi hâte de parvenir. Et l'impatience est telle chez cet «effrayant poète de moins de dix-sept ans» (dont s'étonnait Léon Valade à Paris, en 1871) qu'il ne s'embarrassait guère de scrupules. Révolté ou révolutionnaire, il avait adressé secrètement des vers latins au prince impérial à l'occasion de sa première communion : c'était en mai 1868... Il fut quelques mois prêt à tout pour se faire imprimer; en 1870, il envoie *Trois Baisers* à une feuille subversive, *La Charge*; ou flatte le chef des Parnassiens pour être admis dans le *Parnasse contemporain* : «Si je vous envoie quelques-uns de ces vers [...], c'est que j'aime en vous un descendant de Ronsard, un frère de nos maîtres de 1830, un vrai romantique, un vrai poète [...]. Cher maître, à moi : Levez-moi un peu : je suis jeune : tendez-moi la main.» Le *voyant* n'était pas regardant. Il brûlait la politesse à son professeur Izambard, chargé de rédiger une lettre de protestation au nom de la garde nationale : «Je me disposais à l'écrire, mais Rimbaud m'a devancé.» Et l'idée de *devancer* un concurrent – liée aussi au sentiment de sa supériorité – se retrouve encore en 1882, au Harar, quand Rimbaud projette d'écrire un livre sur les Gallas, auquel pense de son côté Mgr Taurin : «Je vais lui couper l'herbe sous le pied, à Monseigneur!»

Mais dans «ce regard impatiemment ironique», dont se souvient l'ami

«Je ne resterai pas longtemps ici», répéteront toutes les lettres de Rimbaud : il lui est insupportable de *rester*.

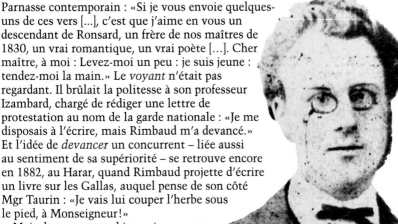

le 2 novembre 1870

Delahaye, ne brille pas seulement l'«Ambition, O folle!», qu'il avoue à Banville. Cette «hâte convulsive qu'il avait lorsqu'il récitait des vers», cette *hâte du mieux* que révèle la question posée à Banville, l'année suivante – «Ai-je progressé?» – se comprennent par-delà le plan psychologique, comme une impatience, dans l'œuvre et dans la vie, qui transcende ses objectifs, un élan qui dépasse son but : Rimbaud, pressé

suis resté ! – et je voudrai fois – Allons, chapeau, capote poches et – sortons ! – mais je Je n'ai pas promis cela ! – mériter votre affection ! vou iderai . Ce « sans cœur » de A. Rimbaud.

d'arriver – à une situation qu'il faudra dépasser de toute urgence...

Georges Izambard (page de gauche) en 1869, époque à laquelle il fut nommé à Charleville. «Tout de suite, il plut à Rimbaud qui tint à se surpasser» (Pierre Petitfils, *Album Rimbaud*) pour attirer son attention : Rimbaud obtint même un «avant-prix», que lui décerna le principal en mars 1870. Les deux premières fugues de l'élève (Paris-Douai, 29 août-26 septembre 1870, puis 7-29 octobre 1870) mettent à l'épreuve le professeur, qui reçoit son protégé à Douai (ci-dessus, rue de l'Abbaye-des-Prés), chez celles qu'il appelle ses «tantes», les trois demoiselles Gindre, et qui ont inspiré sans doute *Les Chercheurs de poux*. Cédant à un ordre écrit de madame Rimbaud, Izambard remit Arthur à la police; il ne devait jamais plus le revoir.

«Elle ne finira donc point cette goule reine» : pressé d'en finir

«Salutations empressées». Toutes les lettres de Rimbaud tremblent d'impatience. Il en est même une qui commence... par sa conclusion : «Chers amis, merci de tout cœur, et croyez-moi votre dévoué» ... (Aden, 1883). Représentons-nous dans le souk d'Aden Rimbaud qui se précipite pour aller télégraphier (1882) – parfois même pour annuler les commandes d'une lettre en chemin! Comme sur la route alors inconnue de Harar il abandonne son compagnon l'explorateur Jules Borelli, qui s'attarde à des relevés, Rimbaud toujours prend les devants. Cette anticipation permanente le déporte dans le temps : on dirait qu'il est pressé d'en finir *avec l'instant présent*.

A tout projet, à tout moment, il *met un terme*. Sa situation actuelle – la multitude des «à présent» dans tous ses écrits – lui semble perpétuellement insupportable. Combien de fois répète-t-il : «Je ne resterai pas longtemps ici…» «Je ne compte pas rester longtemps ici…»! Le premier poème, *Sensation*, par la marche et le fragment, la nouveauté et la vision, contient déjà en germe la quête des *Illuminations*. Et la traversée des formes poétiques jusqu'à la Poésie, le parcours de *Sensation* aux *Illuminations* révèlent cette insatisfaction fondamentale : ouvrir une voie *pour en finir au plus vite* avec sa condition actuelle.

L'enfant Rimbaud «fait du Musset», et bientôt trouve Musset «quatorze fois exécrable». Izambard s'étonnait des «audaces de syntaxe qui se multipliaient sous sa plume à partir du mois d'août» (1870), quand il lut *Trois Baisers*, *A la musique*, *Les Réparties de Nina*. En octobre suivant, *Le Dormeur du val* puis *Au Cabaret-Vert* présentaient déjà des alexandrins radicalement nouveaux : les phrases grammaticales ne tiennent plus dans la mesure traditionnelle de l'hexamètre, s'achèvent au début du vers suivant… L'esthétique du poète se déplace rapidement vers une traversée de la poésie, comme pour en sortir au plus vite… ce qui eut lieu, en effet. Rimbaud : le premier poète qui a bondi de la forme au contenu. Ce mouvement rapide d'approfondissement du langage, du vers discursif à la matière poétique, libérée des formes convenues, récapitule à grands

Place de la gare à Charleville, lieu des départs et d'un poème, *A la musique* : «Sur la place taillée en mesquines pelouses/ Square où tout est correct» : l'orphéon, la fanfare militaire font la bande-son du poème, dans lequel tous les mots tournent (*autour, rondeurs, courbe*, etc.).

Rez de cho
chez le prope

Nous sommes ici au rez-de-chaussée de l'appartement habité par la famille Rimbaud, au bas d'un dessin de Verlaine. Le propriétaire a le privilège d'entendre «les sonorités nouvelles» du locataire.

LA MUSIQUE ADOUCIT LES MŒURS.

traits l'histoire de la poésie française. La poésie moderne renvoie généalogiquement à Rimbaud, pour cette part essentielle.

«Vite! est-il d'autres vies?» : bondir

Rimbaud procède par *bonds* : ils réduisent l'étendue et la durée, ils voudraient même l'annuler. Captif de tout état, il exige que «la Pensée bondisse libre» du front de l'Homme (*Soleil et chair*), substituant le jaillissement de l'inspiration à la trop lente déduction. Le Poète? «Ses strophes bondiront» (*Paris se repeuple*); «qu'il crève dans son bondissement par les choses inouïes» (*Lettre du voyant*, 1871) : il appelle la symphonie «d'un bond sur scène», acclame «la rumeur bondissante des mers»... L'idée, le poème, l'injure, tout fut chez Rimbaud à l'état jaillissant, projectile. Franchir le Saint-Gothard, ou trois cents kilomètres de désert, traverser les mers d'un port à l'autre – ces courses désespérées reproduisent dans le Réel le dynamisme, les élans des *Illuminations*, leur *Mouvement*; elles furent autant de bonds, modèles foudroyants de la chute : «sur toute joie pour l'étrangler j'ai fait le bond de la bête féroce» (*Une saison en enfer*).

Hiver 1875. Après la poésie, un bond dans la musique. Rimbaud, se souvenant des joutes avec le compositeur Cabaner (1872), et raffolant d'opéra bouffe, exigeait de sa mère un piano. Il n'avait pas le temps d'apprendre le solfège, cherchant, avec son bien nommé professeur M. Létrange, des accords qui font fuir «la daromphe» (la *daronne*, c'est la mère en argot, détourné en jargon par Rimbaud et Verlaine pour rimer avec *triomphe*, qui ne rime à rien).

«Il n'est pas de Présent» (Mallarmé)

En Abyssinie, Rimbaud fut l'homme pressé
d'un continent. Pour organiser une caravane
d'armes, destinées au futur négus Ménélik, il
dut patienter trente mois (1885-1887) dont
un semestre entier à *attendre* de pouvoir lever sa
caravane d'armes, dans un hameau désert et calciné,
Tadjoura. «Il faut une patience surhumaine dans ces

PARM

CONTEM

contrées.» Mgr Taurin avait prévenu Alfred
Bardey : «Soyez patient avec eux; dans ce
pays africain l'impatience, ce qu'on
appelle la *fievra francese*, gâte tout; il
faut savoir attendre, temporiser; le temps
n'est compté pour rien dans ce pays.»

   Cette patience infinie que dit aussi son
œuvre («J'ai tant fait patience»..., «Puisque
je suis patient»..., «Fêtes de la Patience») ne
contredit nullement l'impatience, ce sont
deux faces d'une même logique : de même
qu'il «travaille vite», comme si le travail en
son sens étymologique de supplice ne devait
pas durer, de même Rimbaud peut *endurer*

très longtemps une situation explicitement intolérable, à la mesure même de son désir violent de s'en sortir : «Science avec patience/ Le supplice est sûr». Pour mesurer son supplice (aggravé par de multiples contretemps), il faut entendre *l'alarme* répétée quatre ou cinq fois en chaque lettre : les «immédiatement» («achetez immédiatement une rente quelconque»), les «pas encore», «dès à présent», «bientôt», «au plus tôt», «le plus fréquemment possible», «dans le plus bref délai»; «aussitôt» deux fois dans un bref billet, ou «prochainement» quatre fois dans une lettre de Chypre... Chaque lettre est une demande pressante, une supplique : «Expédiez de suite» (le *Guide du voyageur*, 1881); «Je vous conjure d'exécuter au plus tôt ma commande» (Aden, 1882); «Je t'en prie, achète-moi ces livres le plus promptement possible»... «En attendant, hâte-toi.» Cette fébrilité ne *commence* pas en 1880 – elle n'a pas de commencement : «pressé de savoir» à Aden, Rimbaud suppliait Demeny et Izambard en 1871 : «Vite, je vous en prie, on me presse!» Rimbaud ne fut pas un prototype de *L'Homme pressé* – et mondain – de Paul Morand, qui jette ses morceaux de sucre dans son café sans enlever le papier, pour gagner du temps. Lui ne tient pas dans le temps. Il ne séjourne pas dans l'instant présent, qui n'est jamais la durée à laquelle

il aspire. «Nous ne sommes pas au monde.» C'est pourquoi il ne s'est jamais attardé à la description d'un paysage, ni de Rome où il séjourna un mois (septembre 1877), ni des Indes néerlandaises, ni de l'Egypte, et ne signale qu'en passant quelque «splendide paysage» d'Abyssinie. La poésie était parvenue

Rien de plus urgent pour le poète de quatorze ans que d'être admis à publier dans *Le Parnasse contemporain*, anthologie mensuelle qu'un jeune éditeur parisien avait lancée en 1886, contre le matérialisme de l'époque, «apothéose de l'épicerie», et tout à la fois contre les excès du lyrisme romantique. Rimbaud adresse des poèmes, conçus dans l'esprit de cette avant-garde éphémère, à son chef de file : Théodore de Banville (né en 1823, décédé comme Rimbaud en 1891; ci-dessous portraituré dans *Les Hommes d'aujourd'hui*, décembre 1879). Le dessin est d'André Gill (1840-1885), qui eut un jour (février 1871) la surprise de trouver, installé chez lui, Rimbaud : il venait conquérir la capitale...

Brûlant d'impatience, mais «armé d'une ardente patience», comme il l'écrit à la fin d'*Une saison en enfer*, Rimbaud entrera en toutes villes – à Paris, dans ce quartier de la rue Saint-André-des-Arts (page de gauche), ou en Europe ou en Arabie : brûlant les étapes; et capable d'*endurance* : en Ethiopie, l'explorateur Jules Borelli lui reconnaissait «une patience à toute épreuve»...

Dessin d'Arthur (1865), *Navigation* : Arthur et Frédéric dans leur barque amarrée à la rive de la Meuse, devant chez eux : «Au secours!» Et la barque chavire...

Rimbaud lisant à la proue de son *Bateau ivre*, par André Gill.

à ce miracle : saisir une essence; mais *ça ne dure pas*, tel est le point fondamental. Comme la poésie, l'amour, le salut, la vraie vie, les vérités d'essence se laissent parfois connaître, jamais retenir. On ne peut pas posséder la gloire, l'«aube d'été», ... durablement. «Ne pouvant me saisir *sur-le-champ* de cette éternité» (*Matinée d'ivresse*), Rimbaud se précipite à sa poursuite. L'enfer, c'est le présent. «Qu'il vienne, qu'il vienne, le temps dont on s'éprenne. »

«Ah! vite, vite un peu, là-bas, par-delà la nuit, ces récompenses futures»

Le «salut» est devant lui, toujours devant : tous les «prochainement» sont des superlatifs d'«à présent». Son mot d'ordre, «Il faut être absolument moderne», se comprend dans ce paradigme du rejet de tout ce qui est vieux, la «vieillerie poétique» autant que les instruments scientifiques démodés. «La science, la nouvelle noblesse... La science est trop lente... Ah! La science ne va pas assez vite pour nous!» Même l'entrée de l'amoureux triomphant aux «cafés éclatants» (*Roman*, 1870), ou du jeune fugueur à Charleroi – «J'entrais... – *Au Cabaret-Vert* » – préfigurent l'entrée en gloire appelée à la fin d'*Une saison en enfer*, l'accès au non-temps, au repos, libéré de l'esclavage originel – «Sauvé!» : «Quand irons-nous, par-delà les grèves et les monts, saluer la sagesse nouvelle, adorer – les premiers! – Noël sur la terre!» Mais c'est bien *avant*, à l'origine, «à une époque immémoriale» que se trouvait la sérénité perdue, dont il s'éloigne à mesure qu'il fuit vers elle.

«Ah! remonter à la vie!» : la remise à plus tard

Dans la steppe d'herbes hautes, en Afrique, Rimbaud a rencontré les Ogadines. Il les décrit dans son *Rapport sur l'Ogadine*, publié par la Société de Géographie en 1884, tels qu'ils vivent depuis toujours, et tels que l'on peut encore les voir aujourd'hui : «complètement inactifs». N'aurait-il pas été tenté d'apprendre d'eux à vivre, ici et maintenant, sans l'angoisse ni l'avidité qui produisent notre notion d'avenir? Il passait au galop devant les Ogadines... On trouve en lui cette «remise de l'existence à plus tard» dont parle Bataille dans *L'Expérience intérieure*.
La procrastination : ce mot inusité,

Le *Bateau ivre* fut conçu par Rimbaud en septembre 1871, comme l'arme absolue qui allait lui ouvrir les cénacles parisiens, gagner tout de suite la gloire... En face de chez lui, à Charleville, quai de la Madeleine (aujourd'hui quai Arthur Rimbaud) se tient le Vieux Moulin (ci-dessous) : c'est là qu'il rêvait «les péninsules démarrées»... Admiré par Verlaine et par Charles Cros, Le *Bateau ivre* a échoué : Banville pensait qu'il y manquait des «comme...» Ce fut l'année d'une brusque crise de croissance : en neuf mois, Rimbaud grandit de vingt centimètres! A la fin de 1871, il atteignait un mètre quatre-vingts, sa taille définitive. On dirait que le corps avait hâte, aussi.

formé sur le latin *cras* (demain), exprime avec précision ce mouvement dilatoire qui fut aussi, naturellement, la figure essentielle de l'œuvre poétique : «Il y a quelque chose d'ajourné dans son œuvre, une remise-à-plus-tard», remarquait un critique dans la revue *Europe*, en 1954.

«Si la vie est brève, d'où vient-il?»

Quand on écrit des poèmes à vingt ans, c'est que l'on a vingt ans; quand on en écrit à soixante ans, c'est

que l'on est poète... La maturité exige un long
parcours : La Fontaine, maître de la prosodie,
commença à écrire dans sa quarantaine. Dès seize ans
avec ses strophes et ses sonnets, dès dix-neuf ans
livrant en quelques mois *Une saison en enfer*,
Rimbaud parvient aussitôt – non pas tout à fait à
la maturité, mais à la perfection, et brûle les étapes.
A ce «poète mort jeune» (Verlaine) on dirait qu'il
manque une période de sa vie, le «quatrième quart»
(écrit Rimbaud en 1883) auquel il aspire pour
«trouver le repos». Et plus il se précipite, tuant le
temps par l'action, plus il l'accélère pour lui seul.
«Une année là vieillit comme quatre ans ailleurs»,
écrit-il ici-même à Aden, en 1884. L'année suivante,
la vitesse s'accentue encore : «Une année ici en vaut
cinq ailleurs.» Et c'est comme si tout était emporté
par ce mouvement, les cheveux qui blanchissent («un
cheveu par minute»), les journaux qu'il envoie et qui
sont déjà vieux, l'argent qui semble suivre le même
cours du temps : «Un franc ailleurs en vaudrait
cinq ici»...

    «Je sens que je me fais très vieux, très vite», pensait
Rimbaud dans sa trentième année. Il meurt sept ans
après, emporté par sa course, devançant le terme.
Un brouillon d'*Une saison en enfer* annonçait :
«pas de vieillesse».

«L'horloge ne sera pas arrivée à ne plus sonner l'heure»

Telle est la *malédiction* d'Arthur Rimbaud,
«la malédiction de n'être jamais las», que pleure
Verlaine. L'inquiet se fait toujours du «mauvais
sang», disait Alfred Ilg, employant à son insu le titre
d'un passage d'*Une saison en enfer* : ce tourment
perpétuel n'est pas biographique ou littéraire, mais
ontologique, il le concerne de toutes parts. Rimbaud
est marqué dès toujours par sa «race maudite»,
la race au sens de Nerval, celle que l'on reconnaît par
le chant : «Un crime, vite, que je tombe au néant!»
(*Nuit de l'enfer*). Précoce, il ne voulait pas être le
premier, mais *l'autre*.

    «Vite, est-il d'autres vies?» Pressé d'en finir pour
parvenir en gloire au temps non compté, et courant

Portrait charge de
Léon Valade (1841-
1884) dans l'*Album
Zutique*. Poète et
fabricant de cocottes en
papier à l'Hôtel de ville
où il fut employé avec
Verlaine, aux mêmes
tâches. Rimbaud se
détourna vite de lui,
comme du médiocre
poète Albert Mérat,
ami de Valade
également. Selon
Delahaye (1905),
Rimbaud possédait
«une force, une rapidité
foudroyante
d'observation qui lui
faisait pénétrer tout de
suite [...] la tournure
d'esprit de l'individu
auquel il avait à faire».
On retrouve en
Abyssinie cette
impatience dans les
actions quotidiennes
– jusqu'à l'année de sa
mort : «Liquidez au
plus tôt...» (à Alfred
Ilg, mars 1891).

J'ai tendu des cordes
de clocher à clocher
des guirlandes
de fenêtre
à
fenêtre

des chaînes d'or
de fenêtres à fenêtres

des chaînes d'or
et je
DANSE

sa vie avec la «terrible célérité» de *Génie*
(*Illuminations*), Rimbaud mène sa «vie toute en
avant», comme disait Verlaine, jusque sur sa civière
trépidante à toute allure vers la mort, et c'est un
dernier souffle d'impatience que recueille Isabelle à
Marseille, au matin de sa mort, dictant une lettre au
directeur des Messageries Maritimes : «Dites-moi à
quelle heure je dois être transporté à bord.» Hölderlin,
ce fou, ce frère, lui avait répondu : «Long est le temps,
mais il advient, le vrai.»

Phrases,
Illuminations,
interprétées par
Fernand Léger
(gouache, 1949).
Rimbaud ne rencontra
aucun contemporain.
Seul Van Gogh
l'accompagne en vie
parallèle (1853-1890).

Henri Fantin-Latour (1836-1904) peint pour ne pas penser; misanthrope, il cherche la *Vérité*, seul but de l'Art. Le *Coin de table*, exposé au Salon de 1872, est une sorte de nature morte où la masse blanche de la table s'oppose à la dominante sombre des personnages : les collaborateurs de *La Renaissance littéraire et artistique* – nouvelle revue que Rimbaud propose d'utiliser comme papier hygiénique, bien qu'il y publie un poème, *Les Corbeaux*. Debout au centre, le directeur Emile Blémont plastronne, entouré de ses collaborateurs Pierre Elzéar, en chapeau-claque, et Jean Aicard. Verlaine et Rimbaud font bande à part : l'adolescent tourne le dos à Léon Valade, Ernest d'Hervilly, et au non moins boudeur Camille Pelletan. Albert Mérat devait figurer dans le groupe; mais il refusa de poser en compagnie de l'agresseur de Carjat (voir page 29), qui de surcroît pastichait ses poèmes à la gloire du corps féminin par un «Sonnet du trou du cul»; Fantin-Latour, à la place de Mérat, dut imaginer un pot de fleurs; justement, il préférait les fleurs.

« Il faut être absolument moderne» !
Pour Rimbaud tout doit être
«nouveau», pas seulement la poésie,
mais l'amour, la société, la science,
les fleurs, le bruit... – le corps, surtout.
Cette obsession se fonde sur une haine
systématique de tout ce qui est
«ancien», à laquelle n'échappent pas
ses propres poèmes. Le nouveau n'est
jamais assez nouveau, il reste
à inventer. Le reste à trouver.

CHAPITRE III
TROUVER

«Je suis un inventeur
[...], un musicien
même, qui ai trouvé
quelque chose comme
la clé de l'amour.»
Rimbaud en 1872
(croquis de Cazals);
derrière lui,
comme son
ombre : Verlaine.
En page de gauche,
L'Enigme, par
Gustave Doré.

«Moi pressé de trouver...» *Trouver*! Ce mot tellement fréquent sous sa plume, Rimbaud a dû le prononcer chaque jour de sa vie, dans tous les sens : cinq fois répété, par exemple, dans une lettre de Chypre (mai 1880), le verbe-vagabond revient dans chaque lettre, l'une après l'autre. Pour le poète, il s'agissait tout autant de trouver... «des fleurs qui soient des chaises» (*Ce qu'on dit au Poète...*), ou «quelque chose comme la clef de l'amour» (*Vies*, *Illuminations*). L'injonction célèbre de Baudelaire – aller «au fond de l'inconnu pour trouver du nouveau» s'applique à la vie tout entière d'Arthur Rimbaud autant qu'à son œuvre.

Un poème de 1870, *Le Forgeron*, appelle «les grands temps nouveaux». Ci-dessous un percolateur, inventé en 1856. Partout : «Paris embellie par le Métropolitain».

«Les lumières inouïes et la nouveauté chimique»

C'est dans le premier poème connu, *Les Etrennes des orphelins*, que le collégien de 1870 cherche du nouveau – dans ces vers que Verlaine juge «à coup sûr neufs»... en 1895 : le même reconnaît dans les poèmes suivants, d'octobre 1870 (*Les Effarés*, *Les Assis*), «des pensées neuves et fortes, des trouvailles extraordinaires» : que dire alors des *Illuminations*! Surprendre avec des mots nouveaux, ne plus faire confiance aux grands mots

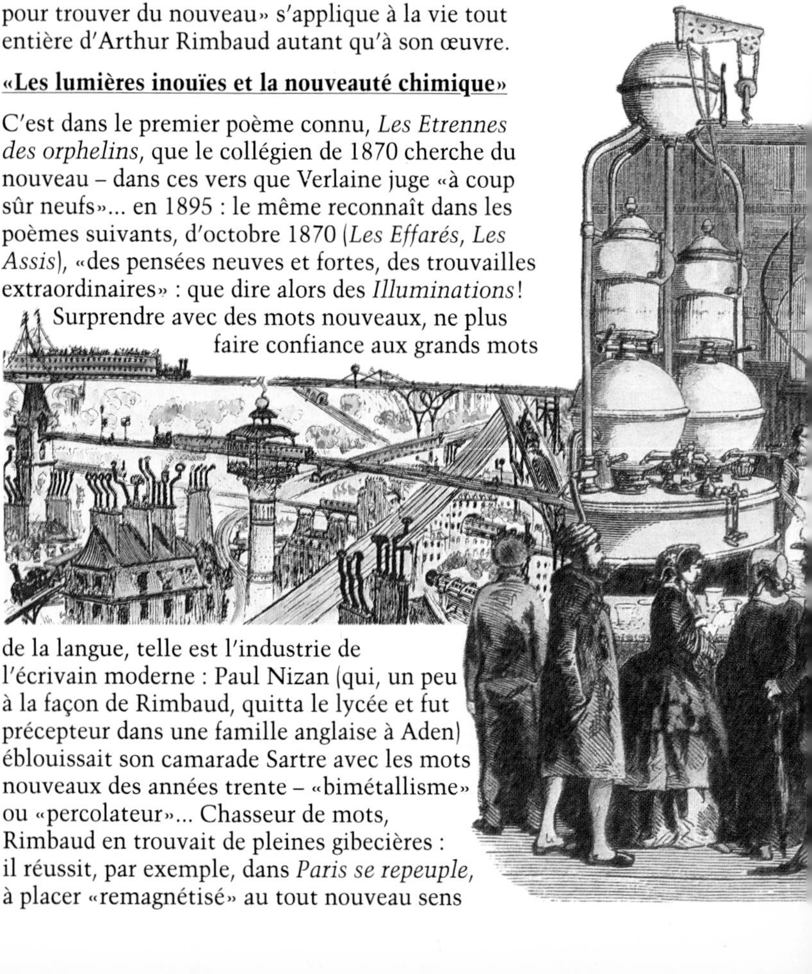

de la langue, telle est l'industrie de l'écrivain moderne : Paul Nizan (qui, un peu à la façon de Rimbaud, quitta le lycée et fut précepteur dans une famille anglaise à Aden) éblouissait son camarade Sartre avec les mots nouveaux des années trente – «bimétallisme» ou «percolateur»... Chasseur de mots, Rimbaud en trouvait de pleines gibecières : il réussit, par exemple, dans *Paris se repeuple*, à placer «remagnétisé» au tout nouveau sens de 1865 (exercer une attraction puissante et mystérieuse), et obtient ce vers étonnant : «Corps remagnétisés par les énormes peines...» De même qu'un poème d'aujourd'hui emploiera le mot «quark»,

Rimbaud s'empresse de faire «rutiler ces bolides» (*Le Juste*), ou intègre les termes nouveaux de la technique, «railways» (*Métropolitain*). Exploitant les dictionnaires avec avidité, il se surpasse et ses prouesses, quelque peu ostentatoires, culminent dans *Ce qu'on dit au Poète à propos de fleurs*, puis dans ce *Bateau ivre* aux cales pleines de rimes jamais osées («dérades»/«dorades»), et d'images choc («fileur éternel des immobilités bleues»).

«Arrière ces superstitions, ces anciens corps»

En mai 1871, porté par l'enthousiasme de la Commune, il adresse deux lettres fameuses, dites *Lettres du voyant* (à Georges Izambard et à Paul Demeny, un jeune *glâneur*), véritables manifestes fondés sur une exigence radicale de nouveauté : la libération qu'il appelle de toutes ses forces est condition de la modernité, elle exige d'abord de tout réinventer; le Poète «*cherche* lui même», «écoute ses inventions»; la femme délivrée sera poète aussi, elle «*trouvera* de l'inconnu!... Elle *trouvera* des choses étranges»...

En finir au plus vite avec les formes anciennes... «Un enfant de l'âge de Chérubin m'a demandé un jour s'il n'allait pas être bientôt temps de supprimer l'alexandrin!» C'était dès 1872, imprimé dans le journal (*Le National* du 16 mai), un soupir de Banville... peu après le séjour d'Arthur chez le «cher Maître».

Paul Demeny (1844-1918; à gauche) par Nadar; rencontré à Douai, il publiait en 1870 un volume de vers, *Les Glâneuses*; destinataire de l'une des lettres dites *du voyant* (ci-dessous), il préparait *Les Visions*. Ci-contre : Rimbaud vu par Verlaine (juin 1872). Ci-dessus : Verlaine par Emile Cohl, dans *Les Hommes d'aujourd'hui* (1896) : sur son front, *Ananke*, la Nécessité, et sur sa queue *Décadence*.

Dans cette même année 1871 pendant laquelle Rimbaud rédigeait ces lettres enflammées, un déplorable versificateur, Eugène Pottier, bâclait ce chant qui deviendra hymne plus tard : «Du passé faisons table rase» – mot d'ordre effarant, vu d'Angkor, ou du Tibet.

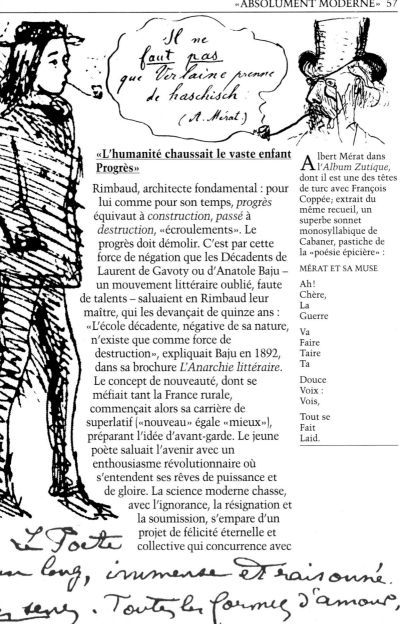

Il ne faut pas que Verlaine prenne de haschisch

(A. Mérat)

«L'humanité chaussait le vaste enfant Progrès»

Rimbaud, architecte fondamental : pour lui comme pour son temps, *progrès* équivaut à *construction*, *passé* à *destruction*, «écroulements». Le progrès doit démolir. C'est par cette force de négation que les Décadents de Laurent de Gavoty ou d'Anatole Baju – un mouvement littéraire oublié, faute de talents – saluaient en Rimbaud leur maître, qui les devançait de quinze ans : «L'école décadente, négative de sa nature, n'existe que comme force de destruction», expliquait Baju en 1892, dans sa brochure *L'Anarchie littéraire*. Le concept de nouveauté, dont se méfiait tant la France rurale, commençait alors sa carrière de superlatif («nouveau» égale «mieux»), préparait l'idée d'avant-garde. Le jeune poète saluait l'avenir avec un enthousiasme révolutionnaire où s'entendent ses rêves de puissance et de gloire. La science moderne chasse, avec l'ignorance, la résignation et la soumission, s'empare d'un projet de félicité éternelle et collective qui concurrence avec

Albert Mérat dans *l'Album Zutique*, dont il est une des têtes de turc avec François Coppée; extrait du même recueil, un superbe sonnet monosyllabique de Cabaner, pastiche de la «poésie épicière» :

MÉRAT ET SA MUSE

Ah!
Chère,
La
Guerre

Va
Faire
Taire
Ta

Douce
Voix :
Vois,

Tout se
Fait
Laid.

Le Poète

un long, immense et raisonné.

les sens. Toutes les formes d'amour,

succès les promesses des religions –
«Rien n'est vanité; à la science, et en
avant!» (*Une saison en enfer*). Pour
«*trouver* de nouvelles harmonies»,
«*trouver* une langue», «*trouver* de
l'inconnu» (à Demeny, 15 mai 1871),
le voyant ne connaît qu'une solution
– en finir avec toutes les formes
anciennes, «l'ancienne inharmonie.»

Cette conception du nouveau
mieux que l'ancien – au nom de
laquelle Rimbaud retournait au mur
le tableau d'un ancêtre, chez les
beaux-parents de Verlaine... – ne
caractérise pas seulement la période
poétique : sans cesse pour lui «la
meilleure» édition (d'un catalogue
qu'il réclame à Delahaye en 1873, ou
d'un dictionnaire à sa mère en 1885)
sera «la plus récente» – et, en 1891, à
l'hôpital de Marseille, le malheureux
demandera qu'on lui fabrique une
jambe artificielle, «la plus
perfectionnée possible»...

«Libre aux *nouveaux* d'exécrer les
ancêtres», enrage le voyant, non sans
arrogance! La désignation des «vieux
imbéciles» qui n'ont «pas trouvé»
la signification du Moi-nouveau-
inventeur ne va pas, même, sans
quelque quérulence... qui laisse

VOYELLES

cycles, vibremer

I, pou

poindre une violence physique
inassouvie, un meurtre du père.
Nommément, et dans le même sac :
Leconte de Lisle, dont il faut
«renouveler les antiquités»,
Belmontet, ridiculisé dans l'*Album*

Zutique (1871) comme archétype parnassien, ou encore Lepelletier, traité d'«ancien troubade»…

«Tu en es encore à la tentation d'Antoine» : pas encore assez nouveau

Quel travail, contre «la vieillerie poétique»! «J'inventai la couleur des voyelles! [...] Je me flattai d'inventer un verbe poétique accessible, un jour ou l'autre, à tous les sens. [...] J'ai essayé d'inventer de nouvelles fleurs, de nouveaux astres, de nouvelles chairs, de nouvelles langues...» Quoi qu'en dise Anatole Baju, ce n'est pas à madame Marie Krysinska que revient le privilège d'avoir inventé «le vers libre sans rythme ni rime», mais bien à Rimbaud, en deux textes brefs, *Marine*, *Mouvement* – comme le reconnaissait Georges Rodenbach, dès 1898, dans *Le Figaro* (12 août).

Après avoir usé – abusé parfois – de mots rares ou «atroces», ces «virides» (*Voyelles*) qui font sa personnalité la plus connue et la moins vraie, la plus imitable et la plus imitée (qui donnent *Les Cornues*, un pastiche décadent confondu à son œuvre en 1891), Rimbaud se corrige, observant les critiques de Verlaine : et c'est sans doute quand se relâche la contention manifeste de trouver – dans ces vers de 1872 : «vers nouveaux et chansons» – que Rimbaud atteint au sommet de toute poésie...

Ernest Cabaner (page de gauche, pastel de Manet) : de son vrai nom François Matt, musicien bohème et barman des Vilains Bonshommes, en leur repaire de l'Hôtel des Etrangers (ci-dessous, qui n'est pas encore détruit, à l'angle du boulevard Saint-Michel et de la rue Racine); Verlaine l'a dépeint ainsi : «Jésus-Christ après trois ans d'absinthe». Dans le sonnet des *Voyelles* (septembre 1871) Rimbaud cherche ce «pouvoir d'expression qu'il veut décupler», notait Delahaye. Epreuves (ci-dessous) du fameux sonnet publié en 1895 dans *The Senate*, par Verlaine – qui parlait en 1892 de «son rêve de nouveau [...] et de mieux».

E, d...deurs des mers res, sang

HÔTEL DES ETRANGERS

Voyelles.

A noir E blanc I rouge, U vert, O

Je dirai quelque jour vos naissances

A, noir corset velu des mouches éc

Qui bombinent autour des puanteur

Golfes d'ombre ; E, ~~fictions~~ candeurs des vapeu

Lances des glaciers fiers, rois blancs,

I, pourpres, sang craché, rire des le

Dans la colère ou les ivresses pénit

U, cycles, vibrements divins des me

Paix des pâtis semés d'animaux, paix

Que l'alchimie imprime aux grands fro

O suprême Clairon plein des strideu

Silences traversés des Mondes et des

— Ô l'Oméga, rayon violet de Ses

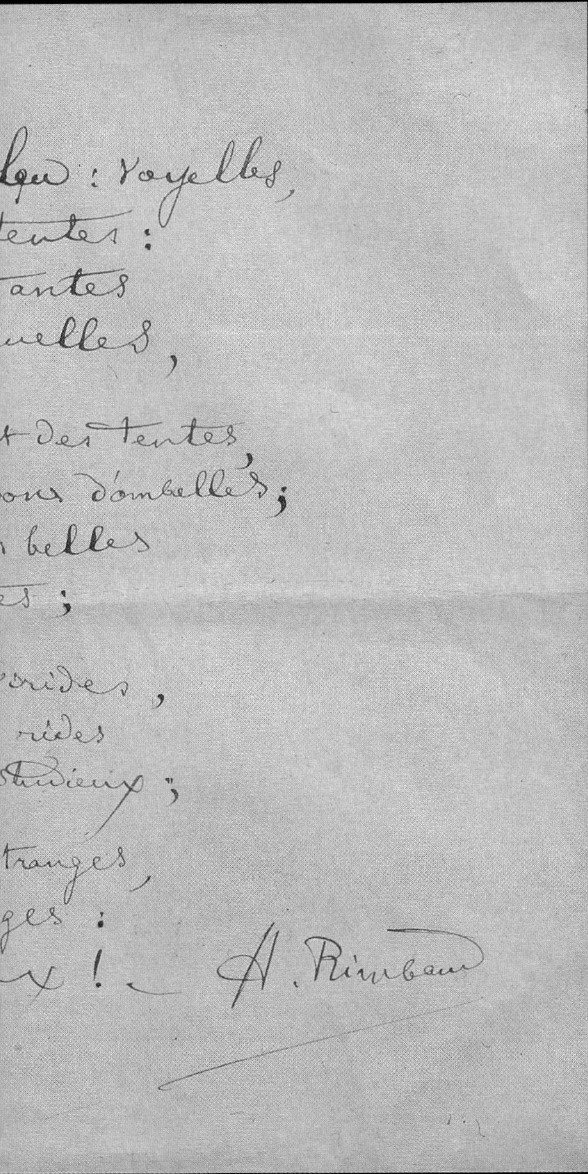

...lqu : voyelles,
...tentes :
...antes
...uelles ,

...t des tentes
...ous d'ombelles ;
...belles
_...s ;_

...rides ,
...rides
...tudieux ;

...tranges ,
...ges :
_...x ! —_ A. Rimbaud

M anuscrit original des *Voyelles*. Ce poème fit scandale, dès 1872 et jusqu'à nos jours (ci-dessus portrait charge de Luque, *Les Hommes d'aujourd'hui* (1888)) : ce n'était pas son seul but. Héritage des synesthésies que Baudelaire évoque dès le *Salon de 1846*, ces analogies «entre les couleurs, les sons et les parfums», puis du rapport que cherchait Cabaner entre la gamme des sons et celle des couleurs. Préoccupations alchimiques de la voyance, à la mode en 1871 (Rimbaud se cite dans *L'Alchimie du verbe*). Recherche du nouveau : le poète se plaît à «réserver la traduction», mais il ne plaisante pas : *la paix des pâtis, ou les grands fronts studieux*, tout est lui profondément.

La *Saison en enfer* et les *Illuminations*, et même l'infortuné sonnet des *Voyelles*, s'offrent d'abord comme des *inventions d'objets modernes* dont on ne comprend pas encore le mode d'emploi, des anticipations inouïes que l'on ne saura déchiffrer que beaucoup plus tard, autant d'énigmes et de défis au lecteur : «Trouvez Hortense». Le lecteur de Rimbaud est appelé au *bond*, et (donc) au corps nouveau. Foudroyé : renouvelé. Le verbe alors accomplirait «la levée des hommes nouveaux, et leur en-marche».

Or, dans ce tourment du *progrès*, ses propres poèmes

UNE
SAISON E

~~~~~~~~~~

PRIX : UN FRANC

~~~~~~~~~~

à leur tour sont aux yeux de Rimbaud sans cesse affectés d'ancienneté, à peine achevés; il les rejette à mesure qu'il les dépasse.

Revenant à Roche désespéré par l'hostilité qui accueillit *Une saison en enfer*, il en jeta au feu ses quelques exemplaires. On a voulu donner un sens définitif à cet autodafé; mais c'est dès juin 1871 que Rimbaud écrivait à Paul Demeny : «Brûlez, je le veux, et je crois que vous respecterez ma

Rimbaud (là-haut) et Verlaine (à gauche), aperçus à Londres en 1873 par Félix Régamey (1844-1907) et par un *policeman* étonné, dans le *fog*. Les disputes continuelles du «drôle de ménage» précipitent la crise d'*Une saison en enfer*, datée avril-août 1873, et imprimée (ci-dessus le frontispice) à Bruxelles chez Poot. Rimbaud ne publiera qu'un seul livre, de trente pages, et qui ne sera pas diffusé.

volonté comme celle d'un mort, brûlez tous les vers que je fus assez sot pour vous donner lors de mon séjour à Douai»; en n'obéissant pas, à la façon de Max Brod pour Kafka, le jeune poète Demeny accomplissait son seul acte de postérité, une sorte d'œuvre... Puis, en octobre 1871, Rimbaud «dédaignait» déjà son *Bateau ivre*, un mois à peine

« Tous les hommes de notre génération avaient au plus haut point le désir du nouveau, la soif de l'inconnu...», affirme Anatole Baju (1861-1904) dans *L'Anarchie littéraire*, en 1892 : les Décadents ont vingt ans en 1880 et cherchent Rimbaud. En page de gauche, Baju par Luque, *Les Hommes d'aujourd'hui*, 1888, présenté par Verlaine.

A. RIMBAUD

EN ENFER

Le grenier de la ferme de Roche, où Rimbaud, après le drame de Bruxelles, écrit *Une saison en enfer*, pendant l'été 1873.

après avoir achevé ce qui devait être une éblouissante démonstration. «Maudit par lui-même», disait Verlaine. Les *Illuminations* furent abandonnées à leur tour – c'est même la seule certitude qui nous reste au sujet de ces poèmes dont on ne connaît pas la date de composition, ni d'abandon (1873, 1875, ou plus probablement 1878), ni même s'ils devaient former un livre... Après les *Illuminations*, ne nous étonnons pas que Rimbaud cesse d'écrire, ayant trouvé. Ne nous étonnons pas davantage *qu'il aille voir ailleurs* : c'est même seulement *parce qu'il ne cesse pas de chercher* que nous pouvons le comprendre et lire son œuvre : en perpétuel dépassement.

«Je compte trouver mieux un peu plus loin» (Harar, 1885) : le reste à trouver

Les «sensations neuves» dont parlait Rimbaud à Mallarmé, annoncées dès l'origine au titre d'un poème, Rimbaud les cherche encore en Arabie et en Abyssinie, «dans ces pays jusqu'ici inaccessibles aux Blancs», et assurément les éprouve parfois sans pouvoir les saisir. De même que le *voyant* définissait «la quantité d'inconnu

Le «drame de Bruxelles», juillet 1873, *Rimbaud blessé*, tableau de Jef Rosman : «Epilogue à la française». Ci-dessous, procès verbal de la police belge.

dans l'âme universelle», de même il est parti, adulte, «trafiquer dans l'inconnu» (Harar, 1881), avec un enthousiasme incompréhensible pour ceux qui n'en prennent pas le risque physique : «prochainement [...] grande expédition [...] exploration plus loin encore» (7 novembre 1881, Aden). Sans fin l'inconnu, Harar ou Aden – cette «ville plus neuve» où Germain Nouveau souhaitait le rejoindre –, s'oppose à «l'Europe ancienne» (*Michel et Christine*), à «l'Europe aux anciens parapets» du *Bateau ivre*... Tristan Tzara remarquait pertinemment (1954) que «l'exploration de l'inconnu, de l'invisible, est une sorte de Harar avant la lettre»; c'est même le Harar qui est «exploration de l'inconnu» *à la lettre*.

L'infini tourment rimbaldien : comment passer de «l'ancienne inharmonie» (*Matinée d'ivresse*) à «la nouvelle harmonie» (*A une raison*) – durablement, définitivement? Y aura-t-il donc *toujours quelque chose qui manque* au savoir et au corps? Oui... Le «nouveau corps amoureux» (*Being Beauteous*) retourne fatalement à l'«ancien corps» irrémédiable de *Génie*, dont il fallait se libérer... Telle serait sa «torture» (le mot est de son ami Louis Pierquin) : ce *reste*, substantif et substantiel, cet écart d'aucun bond, formule son aspiration constante à l'impossible – *l'infini reste à trouver*.

Marseille, juillet 1891 : «Voilà le beau résultat : je suis assis, et de temps en temps je me lève et sautille une centaine de pas sur mes béquilles, et je me rassois. Je ne puis, en marchant, détourner la tête de mon seul pied. [...] Rassis, vous avez les mains énervées et l'aisselle sciée, et la figure d'un idiot. Le désespoir vous reprend et vous restez, comme un impotent complet, pleurnichant et attendant la nuit.» «La Poésie *sera en avant*», proclamait le voyant, et jusqu'à son terme Arthur Rimbaud aura mené «la vie tout en avant» que disait Verlaine. Dans sa dernière lettre, juste au moment de rendre l'âme, revient le mot clé : «Moi, impotent, malheureux, je ne peux rien *trouver*, le premier chien dans la rue vous dira cela.»

T rouver, errer, rêver. Le trouveur, le trouvère. Germain Nouveau (1851-1920), immense poète bien nommé pour être le compagnon de Rimbaud (ils vécurent ensemble à Londres en 1875), tourna lui aussi le dos à la notoriété acquise dès ses premiers poèmes : signant du nom d'Humilis la *Doctrine de l'amour* (1881), il s'imposa la marche et la pauvreté chrétienne. Il resta fidèle à son ami disparu, Rimbaud dont Mallarmé dit bien qu'«il ne s'est *trouvé* que loin, très loin, un état *nouveau*».

Un coursier capellophobe

Une petite histoire qui vient de m'arriver à l'instant.

Ça, c'est moi qui j'herborise.

"ça, c'est le Blagorium apothicatorium"

comment appelles-tu ça?....

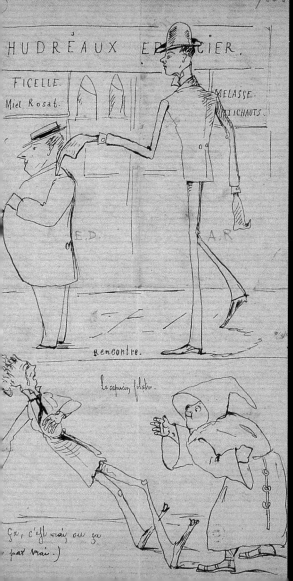

Delahaye, l'ami, le biographe

L errance emporte Rimbaud de plus en plus loin; quand il disparaît, son ami Delahaye (ci-dessus à Rethel, en 1877) échange avec Verlaine des «renseignements rimbesques» : raconta un incident (en haut à gauche), «le philomathe», (l'ami des sciences, bas gauche) «Ça c'est le Blagoriur Apothecarorum», dit Rimbaud penché); «la surprise» (haut droite) que lui cause Rimbaud retour de voyage; «le capucin folâtre» (bas droite); ou (page suivante) imaginant «une petite tempête au retour» (haut droite), Rimbaud en «roi nègre» (bas gauche) recevant une lettre de lui (haut gauche), ou demandant : «Quand repars-tu? – Aussitôt que possible». Pas surpris, Delahaye : il lui connaît «la vieille habitude de chercher

LOI
sur l'ivresse publique

La lettre.

Rimbaud !

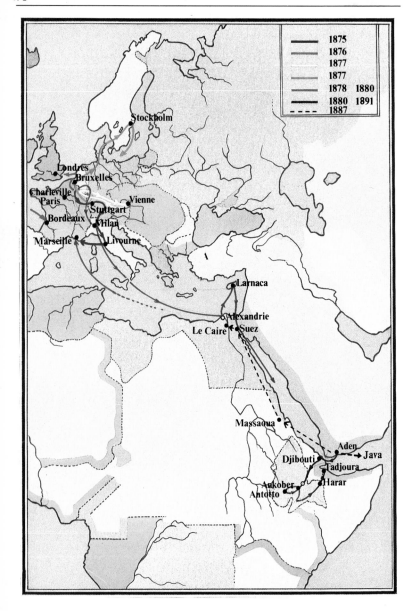

———	1875
———	1876
———	1877
———	1877
———	1878 1880
———	1880 1891
- - -	1887

Stockholm

Londres
Bruxelles
Charleville
Paris
Vienne
Stuttgart
Bordeaux
Milan
Marseille
Livourne

Larnaca

Alexandrie
Le Caire
Suez

Massaoua

Aden
Java
Djibouti
Tadjoura
Harar
Ankober
Antotto

«J'ai dans la tête des routes dans les plaines souabes, des vues de Byzance, des remparts de Solyme»... Rimbaud, toujours sur le départ, marche infiniment vers ces «splendides villes», qui se dérobent à mesure qu'il avance : «la route blanche» mène sans cesse à un autre «ici», au non-lieu. La remise à plus loin. Carte de la Rimbaldie.

LES VOYAGES FORMENT LA JÛNESSE.

CHAPITRE IV
LE LIEU

Rimbaud part pour Vienne (avril 1876); dessin de Verlaine, commenté dans leur jargon – «la jûnesse», la «daromphe»... Page de gauche : la Rimbaldie réelle (il en est une imaginaire) vue de satellite : soixante mille kilomètres, à pied la plupart du temps. On n'aperçoit pas les allers-venues, de menus voyages de trois cents bornes, ni les traces de pas. «Je suis le piéton de la grand'route...»

«Trente kilomètres de brousse; on marche par le sentier des éléphants» (1887) : toujours allant

Arthur Rimbaud n'a jamais cessé de marcher. On reste stupéfait de constater qu'en un siècle cette évidence première n'a pas été méditée (sinon comme un thème parmi d'autres dans l'œuvre...). Avril 1872 : Rimbaud parvient pour la quatrième fois à Paris, en six journées de marche – trente à quarante kilomètres par jour. «A pied!», souligne Mallarmé (chez qui on entrait en *mettant les patins*). Marseille, juillet 1891 : revoyant son passé sur son lit de souffrances, Rimbaud écrit à sa sœur : «En Abyssinie, je marchais toujours beaucoup [...] des courses à pied de quinze à quarante kilomètres par jour.»

On oublie que Rimbaud n'a cessé de marcher, comme «on oublie», remarquait La Bruyère, de Socrate qu'il a dansé»... Rimbaud l'a dit pourtant : «Je suis un piéton, rien de plus.» D'aucuns... croient que les fugues cessent avec l'entreprise littéraire : «simple manie déambulatoire», dénigrée par Izambard, qui n'a connu que l'enfant... D'autres prétendent que Rimbaud «*passe au réel*» après avoir écrit, tenant ce raisonnement à la Bouvard et Pécuchet : qu'il cesse d'écrire, cela nous intéresse; mais qu'il continue de marcher nous est bien égal!

Or, les «splendides villes» appelées à la fin d'*Une saison en enfer* ne *succèdent pas* à l'entreprise poétique, elles en sont l'un des fondements : les «splendides cités» surgissent dès *Soleil et chair* (1870), et Rimbaud ne cesse de songer à «la ville splendide, énorme» (*est-elle almée*..., 1872), puis à «la ville immense» cent fois nommée dans la correspondance, et qui change toujours de nom sur ses itinéraires... N'imaginez pas Rimbaud autrement que dans la rue, dans les déserts et dans la neige. Dès le premier, le tout premier poème, *Les Etrennes des orphelins* (1870), remarquons la formule «bien loin!...» : elle reprend

Le département des Ardennes (08), et des «courses énormes» : le Landerneau d'Arthur. On croit toujours que Rimbaud commence à voyager «après» avoir écrit... Mais Verlaine (1895) :

«Ce fut un poète très jeune et très ardent, qui commença "*A peine au sortir de l'enfance*", à voyager à travers sa pittoresque contrée natale d'abord, puis...»

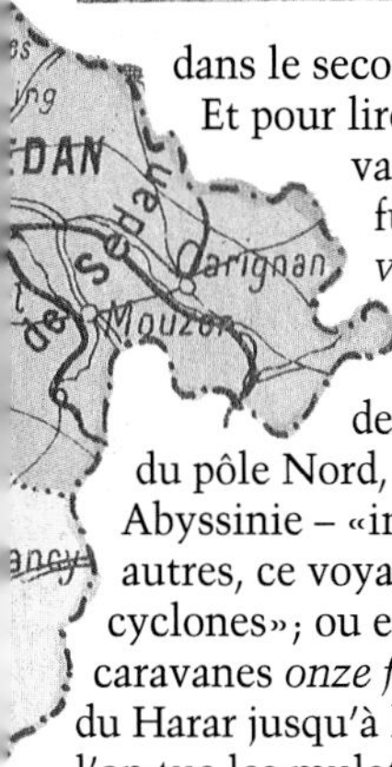

dans le second poème : «Et j'irai loin, bien loin...»
Et pour lire les premiers poèmes – ce projet de
vagabondage que *Sensation* raconte au
futur, *en le vivant déjà* – il faut
vraiment voir à travers eux Arthur
Rimbaud qui parcourt la Ligurie à
pied, qui s'enfuit à travers la jungle
de Java, s'avance très haut en direction
du pôle Nord, marche encore en Arabie ou en
Abyssinie – «immensités» où il accomplit, entre
autres, ce voyage d'avril 1888 «par une succession de
cyclones»; ou encore qui accompagne lui-même ses
caravanes *onze fois* (1888/1891) depuis les montagnes
du Harar jusqu'à la côte de la mer Rouge – alors que
l'on tue les mulets exténués après un seul trajet aller :
six mille kilomètres en trois ans.... Verlaine l'appelait
«le Voyageur Toqué» : la carte de ses voyages
montrerait un graphique continu de l'ordre de soixante
mille kilomètres... «Car, quel marcheur!», s'exclame
encore Verlaine, qui l'a vu arpenter la campagne
ardennaise. Pas davantage, Rimbaud ne s'est «casé»,
comme on dit, en Abyssinie : il est seulement
«basé» à Harar, où son ami grec Righas le voit
passer à son tour : «C'était un grand marcheur,
oh marcheur étonnant, son paletot ouvert...» et
toujours idéal? Il exprime bien la même idée
à seize ans ou à trente-sept ans; à Izambard
(1870) : «J'espérais des promenades

« C harlestown » vue
du mont Olympe
(ci-dessus; prononcez
To-lympe) : ci-dessous
la tour Charlemagne
dite "La Tour Lolot".

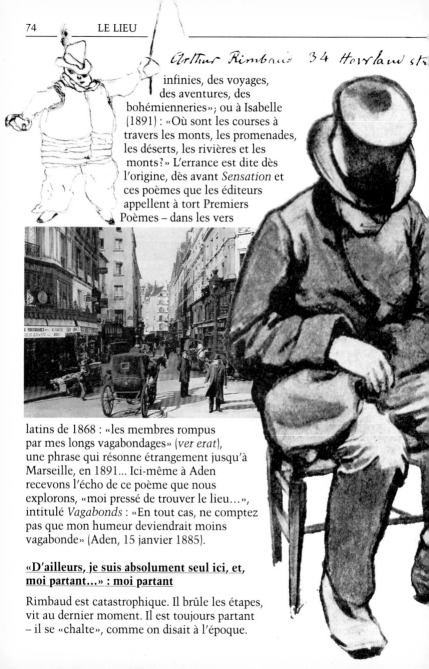

Arthur Rimbaud 34 Howland str

infinies, des voyages, des aventures, des bohémienneries»; ou à Isabelle (1891) : «Où sont les courses à travers les monts, les promenades, les déserts, les rivières et les monts?» L'errance est dite dès l'origine, dès avant *Sensation* et ces poèmes que les éditeurs appellent à tort Premiers Poèmes – dans les vers latins de 1868 : «les membres rompus par mes longs vagabondages» (*ver erat*), une phrase qui résonne étrangement jusqu'à Marseille, en 1891... Ici-même à Aden recevons l'écho de ce poème que nous explorons, «moi pressé de trouver le lieu...», intitulé *Vagabonds* : «En tout cas, ne comptez pas que mon humeur deviendrait moins vagabonde» (Aden, 15 janvier 1885).

«D'ailleurs, je suis absolument seul ici, et, moi partant...» : moi partant

Rimbaud est catastrophique. Il brûle les étapes, vit au dernier moment. Il est toujours partant – il se «chalte», comme on disait à l'époque.

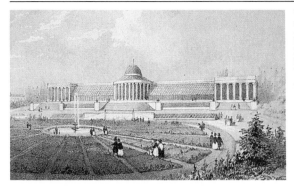

❝Des paysages, des cités / Posaient pour nos yeux jamais las; Nos belles curiosités / Eussent malgré tous les atlas...❞
Verlaine, 1889

Si tous ceux qui l'ont rencontré se retrouvaient, ils parleraient de ses brusques disparitions. Le professeur Izambard : «Il m'a écrit : "Je devais repartir aujourd'hui même; j'étais vêtu de neuf, j'aurais vendu ma montre, et vive la liberté!"». Le copain Deverrière : «Et à moi : "Je m'en irai!"...». L'énigmatique Mallarmé, dans un rond de cigare : «météore...»! L'ami Delahaye, qui le connaît un peu mieux : «Je lui demandais : quand pars-tu?» Paul Verlaine dans le rôle de la Vierge folle : «Il disparaîtra mystérieusement...» La police belge, sortant ses fiches d'octobre 1873 : «Il est parti furtivement...»! Alfred Bardey, employeur d'étoiles filantes : «Je ne pouvais le retenir...» Madame veuve Rimbaud : «Depuis dix ans qu'il est parti, il nous écrit "Je partirai"...» Et Isabelle, qui pourrait témoigner de l'ironie du sort, garde pour elle la version finale, tragique. A l'hôpital de Marseille, estropié et prostré, son frère lui écrivait : «En cas de poursuite [...] j'aurais vite fait ici de prendre le bateau.»

Rimbaud, homme de passage. Il plonge au fond de l'inconnu, et l'on ne sait jamais où il va refaire surface. A Harar comme ailleurs, il pouvait «déguerpir d'un moment à l'autre» (22 septembre 1881). Poèmes ou lettres répètent les mots du départ, verbes inchoatifs, et hâtifs : «Je reviens... Je repars... en route... voyage de six semaines... petite expédition» (Harar, 2 juillet 1881). Ce mouvement de *dégagement* que dit la poésie,

Paris (page de gauche) : rue de Buci, où Banville logea quelques jours le jeune poète «de Charleville -z-arrivé». Londres, que Verlaine écrit *Leun'deun;* en haut «Jeune Cocher de Londres», dessin de Rimbaud en 1873. Félix Regamey (croquis à gauche) insiste sur le couvre-chef de Rimbaud, très fier du chapeau haut-de-forme qu'il s'était acheté là, et dont il parle encore en Abyssinie. Verlaine chanta pour eux «l'aube magique, / l'Angleterre, mère des arbres, / Fille des beffrois, la Belgique...» (Bruxelles, même époque, ci-dessus). En page suivante, Rimbaud (Terence Stamp) et Verlaine (J.-C. Brialy) passent dans une gravure de Gustave Doré (Londres, 1872), et, quittant le film de Nelo Risi, *Une saison en enfer* (1972), ils se promènent «dans le brouillard jaune et sale des sohos / Avec des *indeeds* et des *all rights* et des *hâos*» (Verlaine, *Jadis et naguère,* 1884).

le dégagement rêvé de *Génie*, d'*arrachement* même, se reconnaît constamment dans la vie : «Assez vu»! Quitter au plus vite ce lieu actuel... et «fondre où fond ce nuage sans guide».

La déclinaison d'aller

Non seulement l'œuvre et la correspondance égrennent des lieux, réels ou fictifs, évoquent de grands voyages, accomplis ou envisagés – ...ou même une ville qui n'existe pas : Kenghavar (dans *Les Mains de Jeanne-Marie*) –, mais encore on trouve, dans cette œuvre si brève, le verbe *aller* à tous les modes, à tous les temps, comme si la poésie se proposait de le décliner, comme pour faire le tour de la question, ou la poser : à l'infinitif, «Il lui fallait s'en aller» (*Les Déserts de l'amour*); à l'impératif, «Allons, la marche» (*Une saison en enfer*); au présent, «Je vais» (*Fêtes de la faim*); à l'imparfait, «J'allais sous le ciel» (*Ma Bohême*); au futur, «J'irai dans les sentiers» (*Sensation*); au conditionnel, «Nous irions, l'hiver» (*Rêvé pour l'hiver*); au subjonctif, «Que je m'en aille, très loin, un jour» (*Une saison en enfer*). Ainsi se décline le verbe *aller* et ses dérivés dans *un seul bref* paragraphe d'une lettre d'Aden, datée du 22 septembre 1880 : «Je m'en irai. [...] J'aime mieux partir. [...] J'irais à Zanzibar. Ici aussi, d'ailleurs. [...] Abyssinie [...] Afrique. [...] Il est encore possible que je parte par là»...

Ecrire en marchant; la marche-murmure

Le voyage ne succède pas à la poésie : l'un et l'autre ont commencé de concert, indissociablement. «Lis ceci en marchant», conseille Rimbaud à Delahaye, auquel il recommande aussi de «beaucoup marcher et lire». Et lui-même récitait *Le Bateau ivre* à son ami, en septembre 1871, dans le bois d'Evigny. Rimbaud écrit en marchant – un poème célèbre le dit même explicitement : «Petit poucet rêveur, j'égrenais dans ma course / Des rimes...». Il marche, ou plutôt il *mâche* en murmurant le poème qui vient, et qui semble s'accomplir d'un trait à l'arrivée... La marche-murmure s'entend dans le poème en marche, formulant le secret dans lequel il ne demeure pas : «Je suis le piéton de la grand'route par les bois nains;

la rumeur des écluses couvre mes pas.
Je vois longtemps la mélancolique
lessive d'or du couchant.»

C'est dans l'espace également que
les *Illuminations* sont des brouillons
parfaits : ils parachèvent ce
mouvement de la marche-murmure,
laissant l'auteur insoucieux de cette
menue cacophonie («J'avais, en toute
sincérité d'es*prit, pris* l'engagement»)
qu'un écrivain mieux «assis» ne
manquerait pas de corriger.
Indifférence souveraine qui culmine
dans le dernier écrit en marche,
l'*Itinéraire de Harar à Warambot*,
notes griffonnées dans la civière à
toute allure, jusqu'à la mort, en une
bouleversante *illumination noire*.

«Par la Nature, heureux…»

«Paysan!» La route est longue,
la saison mauvaise, mais il se plaît
aux ciels changeants, aux parfums de
la terre, aux émotions, aux jouissances
de la vie bohémienne : «Je n'ai plus
rien à te dire, la contemplostate de
la Nature m'absorculant tout entier»,
écrit-il dans le jargon de 1873; ce qu'il
exprimait en vers latins, dès 1868 :
«Je me plaisais à regarder au loin les
champs…» Les *Illuminations* révèlent

à leur tour ces intimités : pour écrire *Fairy*, il fallait d'abord... «admirer les clartés impassibles dans le silence astral»; écouter «la sonnerie des bestiaux à l'écho des vals»...

«Mon auberge était à la Grande Ourse» : Rimbaud dormit à Aden cinquante mois à la belle étoile. Il *connut* la Nature en tous les sens du terme – et au sens propre, scientifique : «Ne peux-tu pas, ne dois-tu pas / Connaître un peu ta botanique?» (*Ce qu'on dit au Poète à propos de fleurs*). En terre inexplorée d'Abyssinie, il était capable de donner les toutes premières mesures d'altimétrie, par l'observation de la flore étagée tous les 200 mètres, de 800 à 2500 mètres.

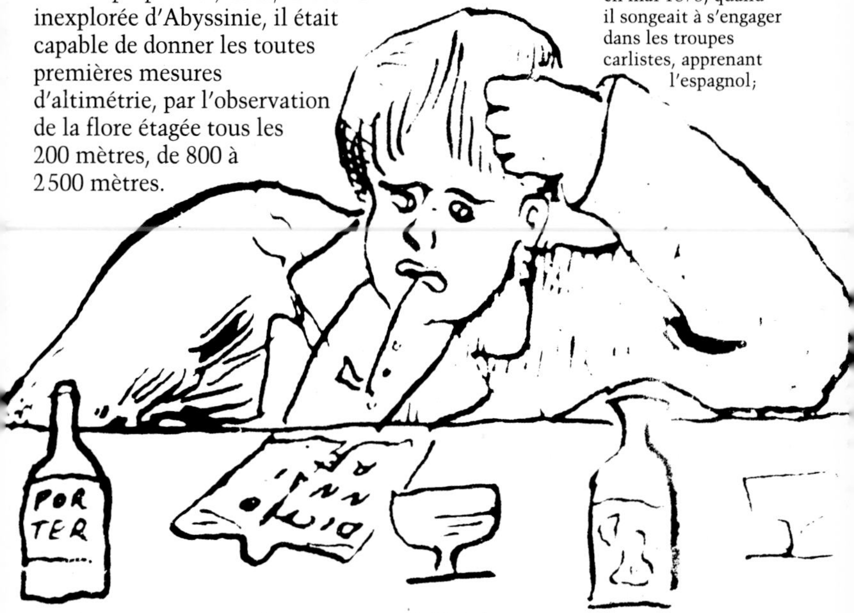

La vraie maison de Milan, détruite depuis; photo (page de gauche) retrouvée en 1990 par le poète Mauro Macario. C'est exactement là, au «terzo piano», chez les frères Bocconi, qu'une «vedova molto civile» non encore identifiée accueillit Rimbaud en mai 1875, quand il songeait à s'engager dans les troupes carlistes, apprenant l'espagnol;

«Et vous pouvez croire, se souvenait Delahaye, que nous en fîmes des lieues, dans la boue, dans la neige, vers Warcq, La Francheville, par les chemins de traverse où l'on pateaugeait dans les profondes ornières ou sur la grand'route aux peupliers sonores.» Un devoir d'écolier, en 1870, sur François Villon, évoque justement «le feuillage sonore»... Dans les poèmes, la nature «parle tout bas», les arbres se plaignent, la nuit soupire (*Soleil et chair*, *Ophélie*), le poète répond à son appel – à «l'immense râle des mers» – et l'anime par la marche, en avançant.

dessin (ci-dessus) de Verlaine, qui dira en 1884 : «Dès 1876, quand l'Italie est parcourue et s'italien conquis, comme l'anglais et l'allemand, on perd un peu sa trace...»

[texte manuscrit]

C'est pas injuss' d'se voir dans un pareil' situate' ?
Et pas la gueule d'un pauv' Keretzer sous la patte !
J'arrive à Vien' avec les meyeur intentions
(Sans compter que j'compt' sur des brevets d'invention)
En arrivant j'me coll' que qu'Faute comm' de jusse.
'Bon !' V'là qu'un cocher d'fiac' m'vole tous : c'est pas injusse !
Vous, m'fait-tous jusqu'à ma limace et mon j'limpant
Et m'plant' là dans la strass' par un froid pas toutant
Mon ! Vrai, pour le début — en v'là ty un triomphe !
Ah l'a sal' côte ! encor plus pir' que la...

F. C^ée

«...comme avec une femme» : «Aube», le lieu même

La Femme-Nature vivante *n'a pas* un grand corps, comme *La Géante* de Baudelaire, chatte aux pieds de laquelle se blottit l'impuissant dominé. Au contraire, elle *est* le grand corps, la Terre-Mère nourricière – «Je suis à toi, ô Nature, ô ma mère!» (à Delahaye, 1873). Rimbaud, enfant orphelin de ce corps infini, tente de se fondre en lui, de s'y confondre : écoutons attentivement ce vers – mal réussi – d'un poème peu lu pour cause d'obscénité (*Les Stupras*) : «Mon âme, du coït matériel jalouse...» : la tentative fusionnelle est un coït de l'âme, elle exige un immense accroissement de soi, une hyperbole physique, jusqu'à coïncider avec l'aube littérale. *Aube* définit très précisément la quête rimbaldienne du lieu imaginaire : un enfant veut faire l'amour avec l'Aube d'été... Non pas symboliquement, mais «comme avec une femme» et littéralement : faire l'amour avec l'aube d'été, la *connaître*. Alors il l'anime, l'aime activement. Magicien du verbe, Rimbaud se fait le régisseur de son propre poème : à la façon d'un technicien radio d'aujourd'hui qui shunte sur sa console, il règle le mouvement de chaque son, le lever des couleurs, commande les mouvements. Illumination, sons et lumières !...

Départ de Rimbaud pour l'Orient, dès les premiers beaux jours de 1876 : à Vienne, un cocher de fiacre vole son pardessus, ses papiers et son argent. «Dargnières Nouvelles» (titre de ce dessin) : Verlaine se moque du «Voyageur Toqué» (la scène a lieu *Vingincestrasse...*), avec un dizain pastichant François Coppée et «l'accent parisiano-ardennais *desideratur*», comme au bon temps de l'*Album Zutique...*

Les lumières : «les camps d'ombre»... qui deviennent «blêmes éclats» (*alba*, aube, la blancheur); puis le lever du soleil allumant «la cime argentée» et enfin (pleins feux) «midi»! Les sons : «les ailes se levèrent sans bruit»... puis une parole chuchotée – «une fleur qui me dit son nom» –, ensuite chant du coq jubilatoire, enfin course sonore «sur les quais de marbre» en une explosion symphonique! Les mouvements d'opéra : d'abord «rien ne bougeait»; puis le jeune homme marche à pas lents, lève «un à un les voiles», dévoile l'aube savamment, enfin il en prend possession par de vastes mouvements exaltés, à la mesure de l'«immense corps». L'ensemble synchronisé s'accroît jusqu'à la jouissance, par une dilatation, une augmentation du moi, épiphanie du corps nouveau. Peu après rechutant : «l'aube et l'enfant tombèrent au bas du bois.» Retour encore au corps ancien («oh! bras trop courts!» de *Mémoire*). Un moment le poète a saisi la vision, *fait corps* avec l'aube, il s'est incarné dans un *lieu*. Mais ce lieu et cet instant de béatitude, physique et métaphysique, l'extase... ne durent pas : «Au réveil il était midi.»

La marche infinie «par la Nature» (*Sensation*) dit «l'amour infini» qui «montera dans l'âme» et qui jamais ne réussit à rejoindre son impossible désir. Il faut encore reporter au lendemain, aller chercher plus loin. Si la saisie d'une essence ne dure pas, qu'importe alors le poème! «Seule la forme conserve la vision», dira Heidegger. Rimbaud s'en fout.

Ce mouvement de l'accroissement du corps jusqu'à l'Impossible, puis la chute ou le réveil, la diminution d'être... – ce mouvement ne commente pas seulement un poème, ni la

L e 18 décembre 1875 : décès de sa sœur Vitalie, âgée de dix-sept ans, poète elle-même. Arthur, très affecté et souffrant de violents maux de tête, paraît aux obsèques le crâne rasé. Il passe l'hiver enfermé dans une armoire-bahut pour apprendre les langues orientales (russe, grec, arabe). Il repartira dès le printemps. Delahaye (1927) : «Il fut en effet le poursuivant, l'adorateur têtu de l'immense nature...»

question du lieu; il forme la matrice même de tout poème, que l'on peut déceler aussi dans la plupart des lettres et retrouver encore dans toutes les entreprises réelles de Rimbaud.

Java (1876), l'île aux quarante volcans; ici les environs de Batavia.

Qu'est-ce qu'un lieu?

L'espace est donné, mais les lieux sont rares. L'espace, c'est la nuit, et le lieu c'est l'étoile. Un lieu serait cet événement dans l'espace où pourrait s'accomplir durablement «la vérité dans une âme et un corps» (*Une saison en enfer*) : le repos du corps physique, en vie et glorieux, en même temps que la fin définitive de l'inquiétude métaphysique. «Sauvé!» *Aube* révèle distinctement ce désir impossible d'incarnation dans l'étendue : il faudrait appeler de tels lieux *querencias* (espaces de prédilection), selon ce mot portugais si juste qui désigne l'endroit où l'animal vient paître : lieu de croissance et de repos, de formation de l'humain – où l'on comprend la «Paix des pâtis semés d'animaux» de *Voyelles*... *Querencia*, qui signifie «pâturages» également en espagnol, s'est formé à partir du verbe *querer* : aimer, – du latin *trouver*.

«Ici»

«On étouffe ici» : Charleville; «Ce qui m'a ravi ici» : Paris; «Verlaine est arrivé ici» : Stuttgart; «Je trouverai mon pain ici» : Aden; «mon travail d'ici» : Harar; «inutile de m'écrire ici» : Marseille. Qu'est-ce qu'«*ici*», quand ce mot se répète dans *chaque* lettre de Rimbaud et en tous lieux? Les «ici» de Rimbaud sont *tellement* fréquents qu'il faut renoncer à les énumérer. «D'ici, au Choa», écrit-il un jour – mais cet «ici» désigne Tadjoura, alors que Rimbaud écrit une lettre d'Aden, en 1885... «La vraie vie est absente.»

Il faut tenir pour très précieuse cette autre brève lettre d'Aden, datée du 14 avril 1885, dans laquelle résonne *quatorze fois* le mot «ici»... Autant que dans les *Illuminations*, et à travers tant d'autres lettres reprenant dix fois l'adverbe désenchanté, Rimbaud répète qu'il ne fut jamais vraiment «ici».

Dès lors, les phrases cruelles de l'adolescent contre sa ville natale («ma ville est supérieurement idiote entre toutes les villes de province»); ces provocations envers une région magnifique qu'il connaissait et qu'il aimait

«**R**imbaud chez les Cafres», dessin de Delahaye. De l'arabe *kafir* : les pays infidèles, au sud des déserts, les pays noirs. En 1876, Rimbaud s'engage dans l'armée des Indes néerlandaises; le 10 juin, il s'embarque sur le *Prins van Oranje* (à babord). Il déserte le 15 août, traverse la jungle, et quitte Java sur un navire écossais au nom étonnant, le *Wandering Chief*, qui le ramène, en qualité de matelot (*as a sailor*) à Queenstown, Irlande du Nord. Retour à Charleville en décembre.

(«Je regrette cet atroce Charlestown»), dont il se
savait trop profondément *natif* et où il revint
régulièrement, ne se réfèrent pas au lieu nommé,
mais à tout «ici». Stuttgart? «tout est assez inférieur
ici…» Aden? où il se plaisait tant, et où il voulait être
enterré : «un roc affreux», un «affreux trou». Aimée
et détestée tour à tour, aucune ville ne ressemble aux
«splendides villes» auxquelles Rimbaud tend de tout
son être en vain. Il enrage en tout «ici», qu'il voudrait
voir disparaître : «Je souhaite très fort que l'Ardenne
soit pressurée de plus en plus immodérément» (1872);

«ça me ferait plaisir de voir cet endroit réduit en
poudre» (Aden, 1885).

«Ailleurs»

Aujourd'hui, la planète est devenue un village sans
«ailleurs», tout le monde peut communiquer à tout
instant. Le monde ressemble à un canton suisse.
L'ailleurs est définitivement cosmique. On se
représente mal le courage et le vertige de partir au
loin en 1880, «par une route de dangers, aux confins
du monde». Mais l'ailleurs gardant tous ses prestiges,
c'est ce même désir de virginité qui met en route,
On the road, Jack Kerouac après Rimbaud

** Tout d'abord il y
avait à faire le Tour
du Monde! / Il y avait à
être comme aux temps
primitifs cette particule
regardante du milieu
des Eaux énormes et
rondes.**
Paul Claudel
La Messe là-bas, 1919

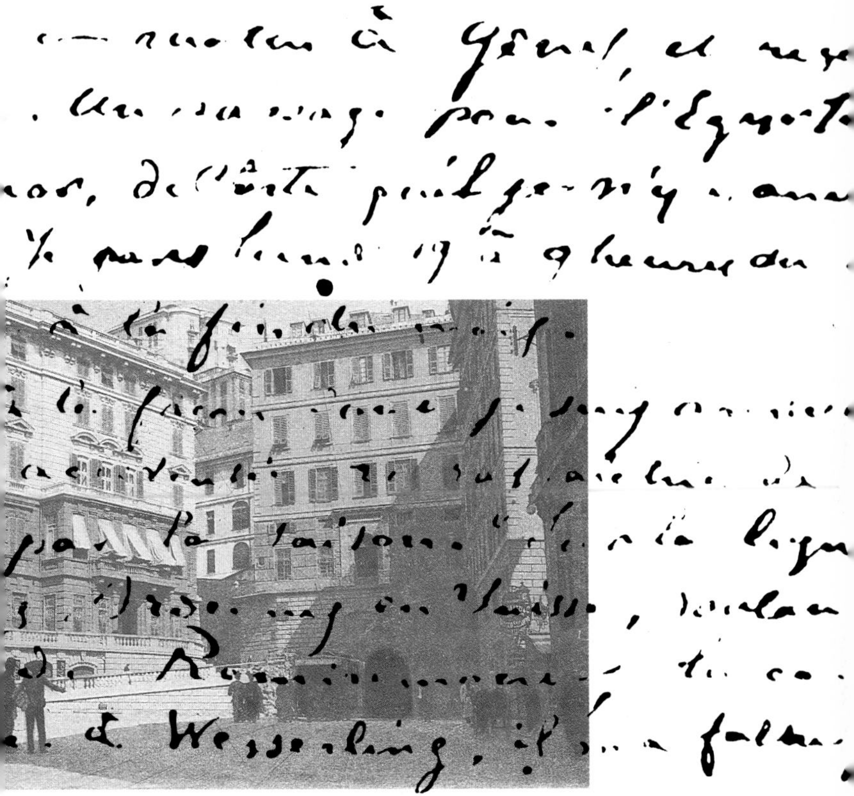

– un espoir de terres intactes, où l'instinct-roi délivre l'homme de ses angoisses. En dépit de quelques ambiguïtés – qu'il serait facile de démêler –, les chaleurs torrides de Chypre ou d'Aden offraient à Rimbaud exactement le climat qui lui convenait, celui d'*avant la civilisation*.

La route sonne sous ses pas, autant qu'elle résonne dans tous ses écrits, vers cet ailleurs originel : «la grande route par les bois nains», «la grande route par tous les temps», «la route blanche qui court» ou «la route rouge» d'*Enfance* mènent à d'autres encore, nommées en chaque lettre, ou croisées en un seul paragraphe (Tadjoura, 1886) : «la route d'Assab [...]

La Scandinavie (1877), sans doute accompagnant le cirque Loisset; et marchant loin vers le Nord : «Sur le 70e parallèle» par Delahaye.

En 1878, traversée du Saint-Gothard, arrivée à Gênes (ci-dessus, lettre du 17 novembre et vue d'époque), et départ pour Alexandrie.

l'excellente route de Zeilah [...] la sinistre route du Choa». Le lieu cherché «avidement» (Verlaine) se trouve ailleurs, «plus loin encore...». Comme *Sensation*, *Mauvais Sang* l'appelle au futur : «L'air marin brûlera mes poumons, les climats perdus me tanneront.» Les «rêves ou promenades immenses» des *Sœurs de charité* se prolongent à Aden, désespérément : aux «ici», quatorze fois répétés dans cette lettre-type du 14 avril 1885, s'opposent dix-neuf noms de lieux : Russie, Khartoum, Indes, Souakin, Afghanistan, Moka-désert, etc. «Ailleurs» est le superlatif d'«ici», comme si ce mot était affecté d'un coefficient (ici 19), en proportion inverse de l'«ici» : Zanzibar, où Rimbaud projette de se rendre dès 1880 et dont il rêve pendant sept ans, Zanzibar où il n'ira jamais, serait un des noms du pays neuf, inconnu, l'antipode reculé de ces «toujours mêmes Europes» que Cendrars apercevra par la vitre du Transsibérien, l'utopie même – l'ailleurs absent, le non-lieu.

" ...Avec soif de vastitude et d'indépendance... "
Mallarmé, 1896

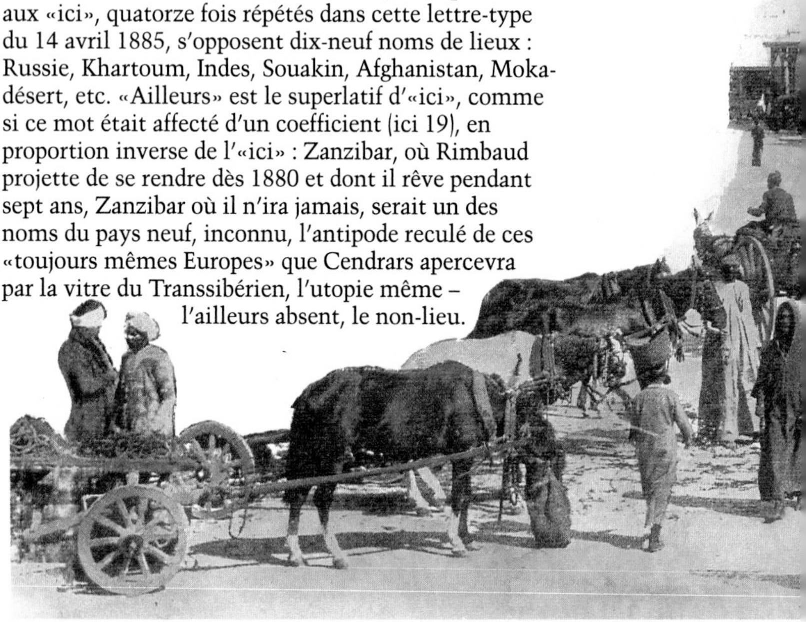

«Arrivée de toujours, qui t'en iras partout» : le rendez-vous à Kenghavar

Aden... Bruxelles... Chypre... Djedda... Entotto... Fumay... Gibraltar... Harar... Innsbruck... Java... Kombarovan... Londres... Marseille... Naples... Obock... Paris... Queenstown... Roche... Stuttgart... Tougtang... Utrecht... Vienne... Warambot... Xylophagou... Yabatha... Zeilah, terme alphabétique de l'errance, où la civière du mort vivant fut hissée sur un vapeur... «Je compte trouver mieux un peu plus loin...» Le mot «ici» se lit dans les deux sens, de gauche à droite et de droite à gauche,

« Je retournais à l'Orient...» La malle de Rimbaud, devant la gare d'Alexandrie (1878 et 1880), porte de tous ses espoirs.

palindrome de
tous les chemins
qui s'involuent. Et
comme Manet, amputé lui
aussi, parlant de ses projets à
Baudelaire et à Nadar, quelques
instants avant de rendre l'âme, se promettait
d'«aller voir»..., Rimbaud dans la même circonstance
expire en nommant une ville, ultime étape au
dernier souffle : Suez... Il faudrait concevoir une
prolocation – un concept qui serait pour l'étendue
ce qu'est dans le temps la procrastination –, la remise
à plus loin du lieu.

C hypre (1878) :
Rimbaud dirige
une soixantaine
d'ouvriers dans une
carrière, à Larnaca
(ci-contre). Atteint
par la fièvre thyphoïde,
il revient passer l'hiver
à Roche.

«Rien des apparences actuelles»

Celui qui ne connaîtrait de l'Abyssinie, ou de l'Arabie,
que ce qu'en dit Rimbaud… confondrait ces pays
admirables avec d'«affreux déserts». Pour qui va *y voir
par soi-même*, selon l'injonction de Lautréamont,
l'enseignement le plus spectaculaire du voyage
rimbaldien tient dans l'écart – abyssal – qui sépare
ce que dit Rimbaud de ce qu'il a pu voir et
éprouver : renonçant à un livre sur les
Gallas, il n'a rien dit de l'Abyssinie,
ce pays rouge et vert parcouru
par les premiers explorateurs,
où il assista pourtant
à des événements
extraordinaires –
l'arrivée

triomphale de Ménélik, unificateur de l'empire, dans sa nouvelle capitale; pas plus qu'il n'a détaillé ses propres aventures – son incroyable expédition d'armes de 1886-1887. Le réel, qui l'affecte pourtant dans tout son corps, ne l'intéresse pas fondamentalement : «je ne trouve rien d'intéressant à dire». Cette attitude devant le réel ne commence pas en Abyssinie, mais «dès toujours», en Ardennes : dans un petit guide des Ardennes (1952), André Dhôtel s'étonnait «qu'un marcheur comme Rimbaud n'ait pas eu seulement l'occasion d'apercevoir les perspectives de la vallée qui remonte au-delà de Voncq, hauts calcaires et forêts : c'est une très singulière absence».

«O ma vie absente», dit une *bribe* – un tout petit éclat de poème, en 1871. A l'horizon de ses routes éthiopiennes, Rimbaud a vu pendant dix ans des mirages... Ils représentent exactement les «splendides villes» toujours cherchées, et qui disparaissent brusquement. *Aube* n'est sans doute pas son seul mirage décrit : «Pleurant, je voyais de l'or – et ne pus boire», se lamente-t-il dans *Une saison en enfer*. Reconnaissons chaque mot dans cette vision de 1872 :
«Est-elle almée?... aux premières heures bleues
Se détruira-t-elle comme des fleurs feues...
Devant la splendide étendue où l'on sente
Souffler la ville énormément florissante!»
Rimbaud toute sa vie poursuit des visions; dès les premiers vers latins «le ciel s'ouvrit à moi [...] et apparut Phébus»; plus tard il voit «des gouffres d'azur», partout des brumes et des brouillards; puis il aperçoit «les saints d'autrefois» au sommet des acacias (1872) – («Or ni fériale/ni astrale! n'est/la brume qu'exhale/ce nocturne effet»); jusqu'à la vision dans la chambre de Roche, en 1891; mais il voit peu la réalité.

En s'exerçant à la voyance, le poète de 1873 affirmait : «Je voyais très franchement une mosquée à la place d'une usine»; mais les cent mosquées de Harar en terre brune, il ne les a franchement pas vues.

En 1879, Chypre à nouveau, où il est engagé par l'administration britannique pour construire, sur les hauteurs du mont Troodos, la résidence du gouverneur (ci-dessous). S'il y eut une seule «coupure» dans la vie de Rimbaud, ce fut cet épouvantable hiver 1878-1879 dans les Ardennes. Il en reparlera toute sa vie.

«Qué v'là du bô temps, là!», par Delahaye, (1876, à gauche, en bas). Pour trouver la chaleur, définitivement, il faut changer d'hémisphère, franchir le Tropique du Cancer; il en rapportera le cancer.

D'un clair alexandrin, la *Vierge folle* dit pour lui, et par ses soins : «Il voulait s'évader de la réalité.»

«En querellant les apparences du monde»

Abandonner la Poésie pour la rugueuse réalité – idée acclamée par les dadaïstes; ou, au contraire, prolonger la Poésie dans le réel, par une «poésie en acte» – conception que voulait imposer Isabelle, et qui convenait si bien à Antonin Artaud : ces deux poncifs, si largement admis, relèvent d'une égale méconnaissance de l'œuvre et de la vie entières d'Arthur Rimbaud : sa «relation au monde» n'a pas changé; Rimbaud fut toujours en Abyssinie, et il n'y fut jamais. Mélangées, les lettres qui composent le nom de ville «Aden» se trouvent déjà dans Ardennes... et tous les lieux s'équivalent : «la même magie bourgeoise à tous les points où la malle nous déposera» (*Soir historique*).

A travers le mythe de Niobé, Hölderlin montrait à quel point l'excès de sentiments intérieurs peut transformer le monde en désert. Pour Rimbaud,

Aden, 17 août 1881 : «Je partirai pour Zanzibar.» Harar, 12 mars 1881 : «Je descendrai probablement à Zanzibar.» Le Caire, 25 août 1887 : «Je suis appelé à Zanzibar.» Zanzibar, nommé dix fois pendant dix ans, où il n'ira jamais.

Lewis Carroll : «Oh! disait le chat du Cheshire à Alice, vous pouvez être certain d'arriver *quelque part,* pourvu que vous marchiez assez longtemps.»

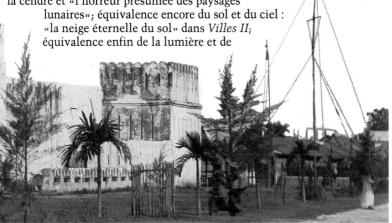

les «affreux déserts» d'Abyssinie, les «plages désertes» d'Arabie succèdent aux «désert de thym... désert de mousse... désert de neige... désert sans routes»...

Equivalence du sable et de la neige : brûlé ou glacé, le monde est recouvert, brillant, aveuglant; ainsi Rimbaud, en 1878, traversant le Saint-Gothard à pied : «plus de route [...] rien que du blanc à songer, à *toucher*, à *voir* ou *ne pas voir*»... (nous soulignons); en 1885, à Aden : «on n'y *voit* et on n'y *touche* absolument que des laves et du sable» (1885). Toucher et voir, le monde-braille... Equivalence du marbre et de la neige, marbre fondu; équivalence du désert, de la neige et de la nuit, livrée dès leur titre par les *Déserts de l'amour* : «une nuit d'hiver, avec une neige pour étouffer»... Métonymie du sable et de la cendre, avec les épiciers, dans *A la musique*, qui «tisonnent le sable»; puis les «affreux déserts» dankali (1887), dont le sable suggère la cendre et «l'horreur présumée des paysages lunaires»; équivalence encore du sol et du ciel : «la neige éternelle du sol» dans *Villes II*; équivalence enfin de la lumière et de

Alfred Bardey (1854-1925), commerçant aventurier et humaniste, premier employeur de Rimbaud à Aden, en 1880, où il venait d'ouvrir un comptoir pour une société lyonnaise d'importation du moka d'Arabie. Annonçant la mort de Rimbaud dans une lettre bizarrement datée du 24 *octobre* 1891, adressée à la Société de Géographie de Paris, dont il est membre correspondant, il décrit cette «attraction particulière qui fait que ceux qui vont dans les pays nouveaux y retournent, souvent jusqu'à ce que mort s'ensuive». Rimbaud s'était fâché avec Bardey, «ignoble pignouf», qui croyait «l'asservir», et continuait seul...

la nuit, pour celui qui va «...du même désert à la même nuit...»; dans un monde où il n'y a finalement rien à voir, pour le voyant non-voyant et que l'on touche partout en vain, et qu'il faudrait réduire en *poudre*, un monde blanc, comme la Scandinavie réellement parcourue, et que j'appellerais la Rimbaldie... Monde réduit en poudre blanche. On ne devrait pas douter que l'entreprise poétique – dont la voyance fut une période critique – se fonde sur l'intention d'*enluminer* le monde en *raison inverse* de son obscurité, de l'illuminer, d'inventer la couleur des voyelles, ou, dès l'excessive abondance de couleurs dans les premiers poèmes, d'en colorier le noir et blanc fondamental.

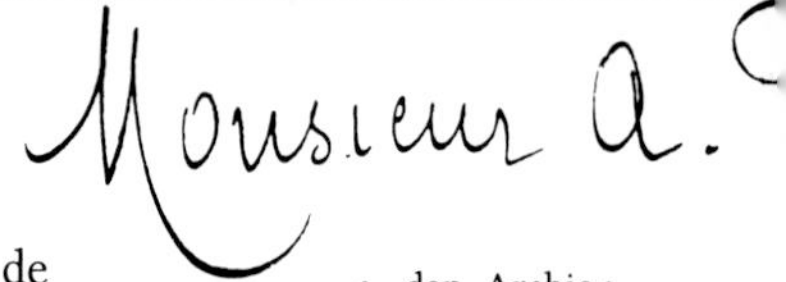

Monsieur A.

A den, Arabie : «Affreux trou [...] pas un brin d'herbe»; quarante-cinq mois de séjour au cours de dix années, de 1880 à 1891. Ci-dessous, transport de l'eau depuis les citernes anglaises.

«Au revoir, ici, n'importe où»

«La marche, le désert» (*Mauvais sang*), sont indissociables. Lequel des deux a commencé? La marche, en progressant, augmente le désert : «Ce ne peut être que la fin du monde, en avançant» (*Enfance*). Et le désert aussi est là dès l'origine.

Aden.

L'homme expulsé du paradis est condamné à marcher : Rimbaud connaît «l'errance à travers les solitudes infinies» que promet Méphisto à Faust (ce même *Faust* de Goethe qu'il réclame à Delahaye pendant qu'il écrit *Une saison en enfer*). Ainsi, tout autant qu'au désert, «la marche» est associée pour lui à «la punition» : «Assez! voici la punition. – En marche!» (*Mauvais sang*) «...et puisque le monde est désert», reprend Paul Claudel dans son seul véritable écrit sur Rimbaud (*La Messe là-bas*, 1919), «la consigne est d'y marcher comme Caïn». Ce châtiment ne survient pas *après* l'entreprise poétique, il est une donnée originelle. Rimbaud, en somme, définit le lieu réel pour lui-même avec exactitude, en ces termes maintes et maintes fois répétés de poèmes en lettres : «n'importe où»; il *n'importe pas* que ce soit cet endroit ou un autre, s'il n'est pas de lieu où se *reposer*, de *querencia*. «Autant à Aden qu'ailleurs»... (1885). A Marseille, amputé, s'achève et s'acccomplit la «vie toute en avant dans la force» que saluait Verlaine, tandis que Rimbaud tente une dernière fois de marcher avec ses béquilles, «sautillant une centaine de pas»... Hölderlin (*Le Fleuve enchaîné*) : «Vient le printemps, commence à poindre l'herbe nouvelle; mais lui a pris la route des immortels, car nulle part n'est sa demeure.»

> ❝ Piéton de toutes les routes vers le désert, le temps vient que tu ne peux plus avancer.❞
> Claudel,
> *La Messe là-bas*, 1919

L a seule maison authentique et intacte d'Arthur Rimbaud (ci-dessous) : l'agence Bardey, découverte en mars 1990, devant le souk en face de la mer Rouge, à Aden Camp (son adresse, page de gauche). Rimbaud dirigea d'abord les *hammals*, ateliers des trieuses de café, à l'entresol. Il vivait à l'étage (terrasse), mais dormait toujours à la belle étoile. Les hauts plateaux du Harar, de l'autre côté de la corne de l'Afrique, étaient encore *terrae incognitae* en 1880 : Rimbaud, à peine arrivé à Aden, demande à y partir (décembre 1880).

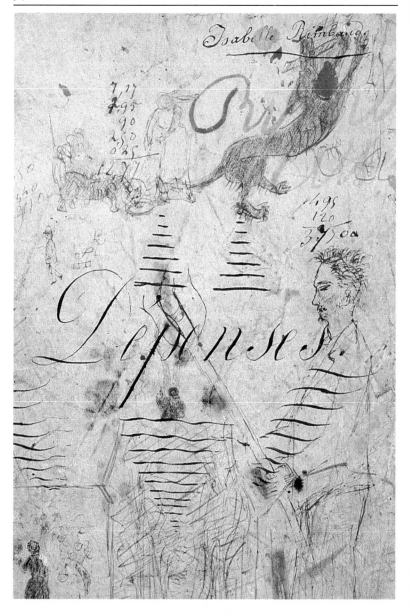

« L e passant considérable», disait Mallarmé... Rimbaud n'est pas un «poète», mais quelqu'un qui est passé par la poésie, comme par mille (vraiment mille) autres projets, toujours à la recherche de «quelque chose». Jusqu'au carnet tenu dans la civière en fuite, jusqu'au message dicté en rendant l'âme, Rimbaud, à la lettre, n'a pas cessé d'écrire, de quérir. La quérance.

CHAPITRE V
LA FORMULE

L a main gantée dans le missel entrouvert. Arthur premier communiant (détail). Page de gauche : Rimbaud à Roche en 1879, sur le livre de comptes d'Isabelle. «L'action n'est pas la vie, mais une façon de gâcher quelque force, un énervement...»

«J'arrive dans la ville immense» : la carence

«Je veux travailler libre. [...] J'arrive dans la ville immense, sans aucune ressource matérielle... Je suis à Paris : il me faut une *économie* positive ! Vous ne trouvez pas cela sincère?» Ne retiendrait-on de cette lettre à Paul Demeny, toute de logique et de sincérité, qu'une indication biographique concernant le mois d'août 1871? Reconnaissons plutôt le souci constant du *piéton* faisant son «entrée» en cinquante villes : nulle part ne s'accomplit le vœu explicite d'*Une saison en enfer* – «nous entrerons aux splendides villes» –; et, en substituant à *Paris* le nom de toutes les villes «immenses» d'une longue marche, nous retrouvons cette «économie positive» : nécessité de manger d'abord, donc d'un travail, mais tout en

« **N**ous irions gagner notre vie d'une manière ou d'une autre, car moi je n'ai aucune fortune personnelle», déclarait Rimbaud en 1873 au juge d'instruction de Bruxelles. D'une manière ou d'une autre, et toujours ailleurs : après Aden, Harar, ville sainte inaccessible aux infidèles, ville de terre brune à 1700 mètres d'altitude, en pays Galla. Après un mois d'expédition, Bardey et Pinchard y parviennent en août 1880, Rimbaud en décembre, premiers

Européens. Ci-contre, «Rimbo house», la plus belle maison de la ville, de facture indienne, qui date de 1900...

Chers amis,
Je suis arrivé dans ce pays
après 20 jours de cheval
à travers le désert Somali.
Harar est une ville colonisée
par les Égyptiens et dépendant
de leur gouvernement. La
garnison est de plusieurs
milliers d'hommes. Ici se trouve
notre agence et nos magasins.
Les produits marchands du pays
sont le café, l'ivoire, le cuir...
etc. Le pays est élevé mais
non infertile. Le climat est
frais et non malsain.

L ettre de Rimbaud
à ses «chers amis»
(sa mère et Isabelle),
dès son arrivée à Harar.
Ci-contre le tribunal
égyptien (*Divan*) ;
ci-dessus : le principal
marché de la ville,
Faras magala. Parfois,
la fanfare des ascaris
soudanais y interprète
le *Faust* de Gounod.

préservant absolument sa liberté : répétiteur à
Maisons-Alfort (1875), chef de carrière à Larnaca
(1878), directeur d'agence à Harar (1883), etc. Un peu
plus tard, quand le jeune homme impécunieux,
toujours obsédé par l'idée du «mendiant», porte dans
sa ceinture quelques milliers de francs «raclés à force
d'atroces fatigues», son tourment demeure : au Caire,
en 1887, cachant sur lui huit kilos d'or, c'est là qu'il
erre, là qu'une ère s'achève autant qu'elle reprend –
avec quinze projets nouveaux en une semaine.

«Le sommeil dans la richesse est impossible» : l'acquerrance

Attention, préjugés. Et graves, et répétés sans relâche : «Rimbaud ayant abandonné la poésie ne pensait plus qu'à gagner de l'argent; et il n'y est pas arrivé.» On n'entendrait que les jérémiades d'un «négociant» acharné à amasser thaler après thaler, comme sa paysanne de mère... Etrange aveuglement sur un point si sensible – et qui donne accès immédiatement à sa démarche fondamentale... C'est exactement l'inverse qui peut se vérifier : l'objectif de Rimbaud *n'était pas de gagner de l'argent, et il en a gagné*

Enveloppe d'une lettre d'Armand Savouré (ci-dessous), négociant français, adressée à Rimbaud, libellée en amharique. Broyeuses de café à Harar (leur chevelure, emprisonnée dans une résille, se forme en boules derrière les oreilles); au moyen d'un pilon de bois, elles tapent dans un mortier sur les graines séchées, pour séparer les fèves de la coque.

La factorerie Bardey, à Harar (ci-contre). Ancienne résidence du gouverneur Raouf Pacha, cette maison était la seule à un étage ; un grand mur de clôture longe la rue qui monte de *Bab-el-Ftouh* (Porte de la Conquête), à l'entrée de la ville. A cet endroit, Rimbaud travailla un an comme associé (en 1881), et un an comme directeur (de mars 1883 à mars 1884), jusqu'à la faillite de la firme Mazeran, Vianey, Bardey et Cie. «Je suis mille fois le plus riche», clamait *Une saison en enfer* ; il écrira plus tard que l'on ne peut espérer devenir millionnaire dans ces contrées, sinon «millionnaire en poux».

beaucoup. L'argent ne fut pas pour lui un *but*, mais un *moyen*. Nombre de ses entreprises furent désintéressées (au sens strict de l'argent : les offres de service à Ilg, par exemple, en 1888) ; dès que sa survie semble assurée, Rimbaud laisse même à sa mère les intérêts appréciables des sommes placées à son nom, de sa propre initiative, avec une sorte d'indifférence (Harar, 1881). A sa mort, ses avoirs représentent une centaine de millions de centimes – qu'il ne pourra pas toucher, forme parfaite de l'Impossible.

Sur ce moyen et sur son but, Rimbaud s'est expliqué très souvent, en des termes d'une indiscutable clarté ; entre autres exemples, par ce raisonnement logique où chaque mot importe : «Je ne puis aller là que pour me reposer ; et, pour se reposer, il faut des rentes ; et ces rentes-là, je n'en ai rien. Pour longtemps encore, je suis donc condamné à suivre les pistes où je puis trouver à vivre, jusqu'à ce que je puisse racler, à force de fatigues, de quoi me reposer momentanément» (Aden, 1884). Syllogisme du pauvre : la proposition majeure associe le repos aux rentes ; la mineure pose

une condamnation de fait, originelle, dans laquelle
s'entend le châtiment biblique, la malédiction, la
punition par l'errance et par le travail («le travail-
perpétuel», 1870; «Il faut bien être forcé de travailler
pour son pain», 1885); la conclusion rend la sentence
exécutoire : condamnation aux travaux forcés à
perpétuité. «Je dois donc passer le reste de mes jours
errant…» (Le Caire, 1887) «… puisque chaque homme
est l'esclave de cette fatalité misérable» (Aden, 1884).

«Repos à la lumière diluvienne» : du repos

L'argent est le moyen dont le but est le repos. Cent
fois répété pendant dix ans dans la correspondance :
«Puissions-nous jouir de quelques années de vrai repos
dans cette vie» (1881); «J'espère bien voir arriver mon
repos avant ma mort» (1882, etc.); le repos ne
représente pas seulement l'aspiration normale d'un
homme que fatiguent énormément ses marches
forcées en des pays hostiles : comme tout thème
rimbaldien, c'est *dès toujours*, *dès 1870*, à Charleville,
que ce but est explicitement formulé : «J'espérais
[…des promenades infinies, des voyages…] *du repos*.»
Cette nécessité d'amasser des rentes, «une petite rente
suffisante pour me faire vivre hors d'emploi» (1884),
n'est pas davantage la méprisable occupation d'un

Q uatre traités
(en bas, à gauche)
parmi les soixante-dix
autres que Rimbaud se
fait expédier à dix mille
kilomètres; chacun
d'entre eux correspond
à un projet différent,
concret, mais tout
autant «vue de l'esprit».

R imbaud, moqué par
Verlaine, s'écriait :
«J'compt'sur des
brevets d'invention!»
L'idée de Science, qui
gouverne la «poésie
objective», ne le quitte
pas dans les pays
nouveaux : l'appareil
photographique
perfectionné qu'il se
fait expédier (page de
droite : fabricant de
daboulas, photo de
Rimbaud, 1883), ou
ce livre (ci-dessus, la
comète de Donati *in
Le Ciel*, par Guillemin),
qui pèse à lui seul
quatre kilos, permettent
d'en mesurer le poids
et le prix.

rénégat, mais le premier vœu exprimé par un écolier de *dix ans* qui s'écrie, en 1864 : «Sapristi, moi je serai rentier»... Pourtant, dans l'épisode exemplaire du Caire (1887), où Rimbaud vient se «reposer» et déborde d'activités plus urgentes, le repos est sans fin repoussé devant soi et remis à plus tard : s'il faut «passer les trois quarts de sa vie pour se reposer le quatrième quart» (Tadjoura, 1886), et tout faire pour *ne pas* y accéder, ce *repos* ne se confond pas avec l'acception commune, que le doux poète Brizeux définissait dans ce vers admiré par Vigny : «Avant le jour sans fin quelques jours au soleil…»

Cherchant encore, sur «les routes terribles d'Abyssinie [...] un lieu de repos» (1885), Rimbaud définit ce repos en toutes lettres : il correspond à l'éternité sur terre. *To rest,* dirait bien la langue anglaise, mais *en vie.* Au soleil, durablement, et dans un corps glorieux : physiquement et métaphysiquement. Le repos, c'est d'être enfin *tiré d'affaires,* bénéficier d'une *remise de peine,* selon l'ancienne condamnation; acquitté! «Sauvé», dirait *Une saison en enfer.* Et le *salut* formulé par la poésie «ce n'est pas, explique, le premier, André Dhôtel en 1983, le salut dans un au-delà, que l'on acquiert par des mérites et un effort patient, mais *dès maintenant* la lumière totale gratuite et pour toujours, *avant* la mort». Ce *repos* de la correspondance exprime exactement la même idée que le *salut, la vraie vie, la liberté dans le salut, la*

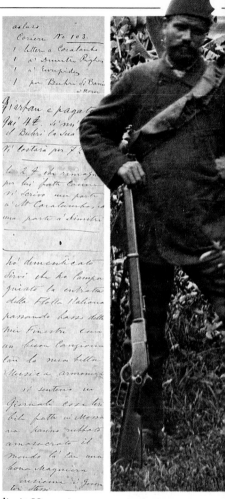

L'ami grec Constantin Sotiro : ci-dessus manuscrit (inédit) et photo de lui par Rimbaud en expédition dans la jungle (1883).

vérité dans une âme et un corps, explicitement désignés par la poésie – où l'on trouve d'ailleurs ce terme : «C'est le repos éclairé, l'air et le monde tant cherchés...» Dans toute la correspondance, le repos est l'expression *recodée* du salut : sur ce point, c'est même la poésie qui permet de décoder la correspondance.

«J'offre à n'importe quelle divine image des élans vers la perfection»

Au passage s'éclaircit la relation de Rimbaud aux religions : aucune n'offre le paradis auquel il aspire... Pas le catholicisme, dont il a reçu la notion de culpabilité, d'expiation, mais qui propose sa rédemption dans l'au-delà : et l'idée de péché originel le révolte. Pas l'islam, dont il respecte les usages et commente, sans doute, les textes sacrés : le repos que rêvait le jeune poète dès 1871 («le sommeil continu des Mahométans légendaires») ressemble fort à la promesse de Mahomet d'un orgasme ininterrompu, mais Rimbaud l'exige ici-bas. Pas le judaïsme, dont le poète, au cours de son «intellectuelle Odyssée» (Verlaine), partage l'inquiétude, l'errance, l'abstraction. Quant au bouddhisme zen, ce torturé sans *ici* ni *maintenant* en fut le non-adepte par excellence. Rimbaud fut cet «indépendant à outrance» que définit parfaitement Delahaye.

« L es caravanes partirent.» Cette phrase «sèche» se trouve-t-elle dans la correspondance d'Afrique ou d'Arabie? Pas exactement : mais dès la première page d'*Illuminations* (*Après le déluge*). Ci-dessus : caravane progressant parmi les caféiers.

COMPTE RENDU

DES

...ANCES DE LA SOCIÉTÉ DE GÉOGRAPHIE

ET

DE LA COMMISSION CENTRALE

ANNÉE 1884

Ethiopie méridionale

P remier explorateur des provinces du Sud (pays Amhara, Oromo, Sidama), le Marseillais Jules Borelli s'extasiait sur tout, en poète : ces photos sont de lui – une *guimbi* galla faite de roseaux enduits de boue; cette femme argoba. Chemin faisant, en février 1887, il croise Arthur Rimbaud avec sa caravane, qui revenait de Tadjoura. «Les ennuis ne lui ont pas été épargnés, note Borelli : trahison, guet-apens, privation d'eau...» Ci-dessus, un guerrier danakil, tant redouté par les voyageurs (photographié par Paul Buffet). «Il sait l'arabe, l'amarigna et l'oromo. Il est infatigable», poursuit Borelli, qui pensait que Rimbaud (dont la Société de géographie avait publié le *Rapport sur l'Ogadine)* eût été meilleur homme de science que lui...

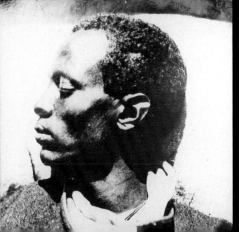

Autour de l'Ogadine

Femme Galla et couple Oromo, tous voisins de l'Ogadine, à l'Est du Harar, dont Rimbaud fit l'exploration avec Sotiro, en 1883. Dans l'Ogadine, les autruches «cheminent en caravane à la suite des chameaux dont elles ont presque la hauteur», note Rimbaud. Pour les capturer, les chasseurs se couvraient d'une dépouille d'autruche femelle...

Scènes du Choa

Rochet d'Héricourt, en 1839 puis en 1842, peu après Combes et Tamisier du *Magasin pittoresque*, peu avant Arnault d'Abbadie, fut l'un des premiers explorateurs du pays des «hommes à queue», il en rapporta un *Voyage sur la côte orientale de la mer Rouge, dans le mays d'Adel et le royaume du Choa* – et ces aquarelles, offertes en 1884 à la Société de Géographie : la rivière Hawache (en haut, à gauche), souvent longée par Rimbaud, réputée infranchissable; Ankober (en bas, à gauche), capitale du Choa, où Rimbaud conduit ses armes pour Ménélik; une euphorbe candélabre, un guerrier abyssin, une femme galla...

Mais, comme disait Montaigne de Platon, «chacun, l'honorant de l'appliquer à soi, le tire du côté qu'il veut».

Il a peut-être des secrets pour changer la vie? Non, [il] ne fait qu'en chercher» : la formule

Dès lors, *tout* est formule, toujours ailleurs, toujours meilleure, pour accéder au Salut, au Repos : la poésie, qui devait changer la vie, fut – au double sens – une formule parmi d'autres, la plus sublime (peut-être), la seule en tout cas qui nous soit adressée. La poésie fut une entreprise parmi tant d'autres, orientée dès le départ vers la quête d'une essence (dès 1870, «il tendait à la notation pure et simple», se souvient Delahaye), accomplie dans les *Illuminations*. Aussi bien, il n'y eut pas plus *la* poésie que *le* commerce, mais de nombreuses tentatives différentes à l'intérieur de toute entreprise.

L'une des plus célèbres, la voyance, ne fut pas la plus originale : tout le monde se disait voyant en 1871, observait Maupassant. Mais en refusant l'assimilation romantique du *moi* psychologique au *je*, en retrouvant cette capacité de la poésie grecque à faire parler le monde par sa sensibilité singulière, Rimbaud a cru quelque temps acquérir à son tour des pouvoirs

142

Les Poètes maudits (page de droite, en haut) sont publiés en 1884 par Verlaine (chez Vanier, à Paris), à l'insu de Rimbaud. Cette année-là, il reçoit une grammaire amharique. Ci-dessus : extrait d'un livre de prières (copte) en amharique, la seule langue écrite d'Afrique ayant son alphabet.

La femme abyssine (chrétienne) de Rimbaud (page de gauche). Photographie publiée en 1913 par Ottorino Rosa, dont l'honnêteté ne peut être remise en doute, bien qu'il mélange les dates (comme tous ceux qui revenaient d'Afrique orientale, Bardey notamment). Rimbaud prit femme en Abyssinie (où elles ont réputation de grande beauté), encouragé par un autre ami italien de son âge, Augusto Franzoj. Il vécut avec elle à Aden (1884), à l'étage de l'agence Bardey, s'efforçant de «l'instruire». Comme toute autre «formule», l'expérience tourna vite au vinaigre : il la renvoya sur le boutre d'Aden, après six mois de «drôle de ménage». Ci-contre, une femme Galla (musulmane des plateaux) : les femmes qui se marient retournent leur robe de jeune fille.

(Homosexuel, je crois qu'il l'a été – et malgré mon dégoût pour cette invincible *enfant lui ne me dégoûte pas parce que j'ai pénétré les mobiles plus nobles auxquels il a obéi !... Pour se mortifier, oui, vraiment !... Encore la !... Parfaitement : la* Catharsis, *ou du moins son envers.).*

surnaturels, qui transcendent la Poésie, et pourraient changer la vie. L'*encrapulement* – «se faire l'âme monstrueuse», «le dérèglement de tous les sens» – fut la formule, au sens alchimique, de cette expérience qui dura le temps normal de ses projets, quelques mois.

Par l'homosexualité, l'un des moyens délibérés de cette entreprise, il ne défie pas seulement la morale bourgeoise, ancienne; il recherche le corps sans manque, c'est-à-dire sans la séparation fatale des sexes – un corps «nouveau», hermaphrodite («Ton cœur bat dans ce ventre où dort le double sexe», *Antique*), et finalement une *virginité* originelle : «l'état primitif de fils du soleil» auquel Rimbaud voulut rendre Verlaine, selon *Vagabonds*. Autre idée, autre forme de l'Impossible, la femme («femme ou idée») conduit aussi sûrement à l'échec – et la femme abyssine s'en retourne sur un boutre, abandonnée, comme Verlaine à Stuttgart.

Avec «la satiété d'être une machine osbcène» (Verlaine), une forte culpabilité restera attachée au souvenir de ces formules, dont Rimbaud dit qu'il y renonça «parce que c'était mal». Or le désir éperdu d'oublier son passé, la volonté de redevenir *straight*, de «se refaire» en collectionnant même des certificats de bonne conduite (à Chypre, à Aden), ne datent pas non plus d'«après» la littérature : les protestations d'innocence d'*Une saison en enfer* nous rappellent que cette nécessaire expiation est à la fois

M anuscrit inédit d'Izambard (ci-dessus), admettant (à sa façon, ou selon l'époque) l'homosexualité expérimentale de son ancien élève.

originelle et impossible; et c'est avant *Une saison en enfer*, avant même la voyance, à Charleville, dès 1871, que Rimbaud écrit définitivement : «Je suis *condamné, dès toujours*, pour jamais.»

«...les conquérants du monde/Cherchant la fortune chimique personnelle» : la conquérance

Aussi, au cours de cette «existence plus que mouvementée» (Verlaine), Rimbaud ne fut pas poète puis négociant – comme s'il avait quelque *position*! – mais toujours seul et cherchant pathétiquement la formule, par mille «idées» qui affluent sans cesse, et dont l'énumération reviendrait à reprendre sa biographie : une vingtaine d'idées en moyenne par an pendant vingt ans... : s'engager sous plusieurs uniformes et déserter (tentatives dans lesquelles se profile la figure paternelle); acheter des baudets en Syrie, importer du drap de Sedan (projets dignes de madame Rimbaud); ou, selon son désir, chasser l'éléphant, ouvrir des comptoirs dans la brousse, apprendre les langues, les sciences, les techniques nouvelles – ce qui reste de l'«objectivité», dont la Poésie fut un moment : la *philomathie* (amour de la science), «ce grand mot qu'il affectionnait avec une extrême exception» (Verlaine, 1895), se poursuit dans ces rêves d'ingénieur, par l'architecture, la photographie,

Paul Soleillet (1845-1886), explorateur normand, mourut à Aden le 9 septembre, tandis que Rimbaud l'attendait pour lever leurs caravanes d'armes destinées à Ménélik. Rimbaud partit seul, avec chameaux et fusils, à travers forêts sans chemin (ci-dessus) et déserts sans secours – où menacent les Danakils du désert Dankali (au centre) avec lances et bouclier d'hippopotame; arrivé à Ankober, il fut «roulé» par Ménélik (février 1887).

Fils du roi du Choa, Ménélik II (1844-1913, ci-dessus) réunifie l'empire du «Lion conquérant de la tribu de Judas». Rusé, cruel, tenace, il parvient à la succession du trône des négus, «rois des rois», en 1889, et fonde sa capitale Addis-Abeba, «la Nouvelle Fleur» (ci-contre et ci-dessous, un guerrier abyssin et ses enfants). Rimbaud, obtenant l'autorisation du gouvernement français, entreprit à nouveau en 1887 de vendre des armes à Ménélik – encore une «formule», particulièrement courageuse, perspicace et malchanceuse.

la topographie, les instruments d'exploration, d'astronomie, et la liste est longue, très longue, des ouvrages et des instruments qu'il réclame toute sa vie et qui correspondent à autant de projets («cette entreprise-ci», Harar, 1881), dérisoires ou audacieux, pour trouver l'accès au repos par le travail, se délivrer.

Comme disait son détracteur en chef, Charles Maurras : «Il a collaboré à toutes sortes d'œuvres : finalement il n'a rien fait.» Ce qui est assez juste...

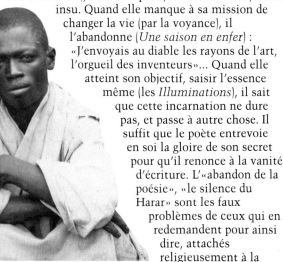

Permanence de l'abandon : ici ou là, qu'errance

... N'était la Poésie. Rassemblée sous le titre involontairement ironique d'*Œuvres complètes*, la Poésie ne fut pas une Œuvre mais «une activité d'exploration et de conquête» (Jean-Pierre Richard), une entreprise, la seule réussie, à son insu. Quand elle manque à sa mission de changer la vie (par la voyance), il l'abandonne (*Une saison en enfer*) : «J'envoyais au diable les rayons de l'art, l'orgueil des inventeurs»... Quand elle atteint son objectif, saisir l'essence même (les *Illuminations*), il sait que cette incarnation ne dure pas, et passe à autre chose. Il suffit que le poète entrevoie en soi la gloire de son secret pour qu'il renonce à la vanité d'écriture. L'«abandon de la poésie», «le silence du Harar» sont les faux problèmes de ceux qui en redemandent pour ainsi dire, attachés religieusement à la

« Je ne me saisissais pas fervemment de cette entreprise» (Verlaine *parle* dans le poème de Rimbaud, *Vagabonds*, comme dans *Délires*, où Rimbaud lui fait dire ce qu'il disait...). Ce poème, *Vagabonds*, paraît dans les *Illuminations* en 1886, pendant l'aventure abyssine... *La Vogue*, le 11 avril de la même année, publie *Les Premières Communions* au sommaire de son premier numéro, en compagnie de Mallarmé.

Rimbaud est nommé pour la première fois dans *L'Esploratore* de Milan en 1881. Il apparaît aussi dans *L'Ethiopie méridionale* (1890) de Jules Borelli. Les deux hommes avaient de l'admiration l'un pour l'autre.

Photographies de Ménélik II, par Paul Buffet : le roi du Choa et futur négus en habit de cérémonie, entouré de sa cour, et partant sous son ombrelle avec quelques-uns de ses trente mille soldats. Les traditions éthiopiennes font descendre leurs rois de Salomon et de Makéda, reine de Saba d'Arabie, en ligne directe pendant trente siècles. Ménélik mena trois combats principaux : contre les émirs et les musulmans fanatiques du Harar, région rivale des Abyssins; puis contre l'empereur Jean, son suzerain, qui lui imposait de lourds tributs annuels; enfin, devenu empereur, il se retourna contre les Italiens et leur infligea, avec les fusils que ceux-ci lui avaient vendu, la sévère défaite d'Adoua (que le même Paul Buffet représenta par le tableau ci-dessus).

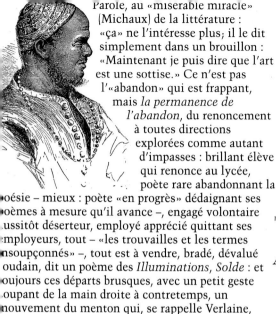

Parole, au «misérable miracle» (Michaux) de la littérature : «ça» ne l'intéresse plus; il le dit simplement dans un brouillon : «Maintenant je puis dire que l'art est une sottise.» Ce n'est pas l'«abandon» qui est frappant, mais *la permanence de l'abandon*, du renoncement à toutes directions explorées comme autant d'impasses : brillant élève qui renonce au lycée, poète rare abandonnant la poésie – mieux : poète «en progrès» dédaignant ses poèmes à mesure qu'il avance –, engagé volontaire aussitôt déserteur, employé apprécié quittant ses employeurs, tout – «les trouvailles et les termes insoupçonnés» –, tout est à vendre, bradé, dévalué soudain, dit un poème des *Illuminations*, *Solde* : et toujours ces départs brusques, avec un petit geste coupant de la main droite à contretemps, un mouvement du menton qui, se rappelle Verlaine, semblait dire «va te faire lanlaire à toute illusion». À *dégager*, comme on dit aujourd'hui. «Assez connu»...

Seul portrait jamais publié (en 1886, par le comte Cecchi, ami de Rimbaud) du «redoutable bandit Mohammed Abou-Beker» (écrit Rimbaud en 1887)). Abou-Beker, le gouverneur de Zeila, détenait le monopole absolu de la traite des esclaves (Amharas et Gallas) vers l'Arabie.

MAISON FONDÉE EN 1885

IMPORTATION   EXPORTATION

MARQUE   DÉPOSÉE

A. SAVOURÉ & Cⁱᵉ

Papier à en-tête d'Armand Savouré, médaille d'or pour la civette claire du Choa en 1900.

...trouver quelque chose à faire...» : n'importe quoi

La formule n'a pas de nom, durablement : il faut toujours «trouver quelque chose à faire», en cette phrase type écrite à Alexandrie, Limassol, Massaoua, ou ailleurs : «trouver *quelque chose* à faire en Abyssinie» (Aden, 1880). Cette chose devient la Chose, *das Ding* de Hölderlin, que nous ne pouvons nommer à sa place et qu'il ne pouvait pas non plus désigner : toujours «autre chose un peu plus loin»... Il l'a cherchée par tous les moyens, dans tous les livres, dans plusieurs langues, dans plusieurs corps. Il n'importait pas qu'elle fût ceci plutôt que cela – répétant d'une année à l'autre : «n'importe quoi n'importe où». A

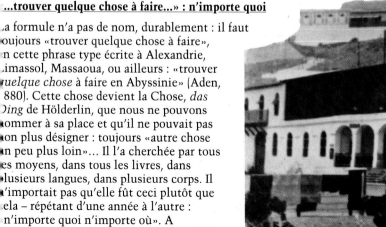

vraie vie cherchant n'importe quoi, Rimbaud menait toute en avant cette vie «belle de logique et d'unité» que disait Verlaine en 1888, vouée à la quête, plus exactement à la querrance.

Harar le 3 janvier 1890

Ma chère mère
Ma chère sœur

J'ai reçu votre lettre du 19 novembre 1889 Vous me dites n'avoir rien reçu de moi depuis une lettre Du 18 mai ! C'est trop fort ; je vous écris presque tous les mois, je vous ai encore écrit en Décembre, vous souhaitant prospérité et santé pour 1890, ce que j'ai d'ailleurs plaisir à vous renouveler.

Quant à vos lettres de chaque quinzaine, croyez bien que je n'en laisserai pas passer une sans y répondre, mais rien ne m'est parvenu, j'en suis très fâché, et je vais demander des explications à Aden, où je suis pourtant étonné que cela se soit égaré.

Bien à vous, Votre fils votre frère

« Je suis dépaysé, malade, bête, renversé...» : Rimbaud écrit-il cette phrase «après» l'entreprise poétique? Dans *Une saison en enfer*? Elle se lit dès l'origine, en août 1870, dans une lettre à Georges Izambard. Ci-contre, lettre de Rimbaud à sa mère et à sa sœur, au commencement de la fin (Harar, 3 janvier 1890). Ci-dessus : Alfred Ilg (1854-1916), ingénieur suisse, d'une honnêteté scrupuleuse, devenu conseiller de l'empereur Ménélik. L'estime et l'amitié d'Ilg ne manquèrent jamais à Rimbaud, qui trouvait avec lui l'occasion rare du commerce intellectuel.

Le Grand Hôtel de l'Univers, à Aden (Steamer Point) où descendait Rimbaud : rendez-vous des explorateurs en partance pour l'Afrique orientale, quartier général des «trafiquants» d'armes en 1886-1887.

En écrivant «moi pressé de trouver le lieu et la formule», Rimbaud ne se suffit pas du poème. Préoccupé d'éthique nouvelle, dédaignant la Beauté, il cherche la Vérité, mais pour la posséder. Il faut tout lire et autrement : l'Œuvre-vie.

CHAPITRE VI
L'ŒUVRE-VIE

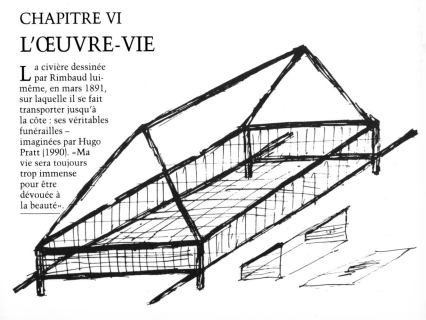

La civière dessinée par Rimbaud lui-même, en mars 1891, sur laquelle il se fait transporter jusqu'à la côte : ses véritables funérailles – imaginées par Hugo Pratt (1990). «Ma vie sera toujours trop immense pour être dévouée à la beauté».

«...Moi pressé de trouver le lieu et la formule...»; expérience

Si l'on observe l'*impatience* de Rimbaud, brûlant à
tout instant; si l'exigence de *trouver* le porte à
chercher toujours *mieux*; si le *lieu* équivaut à
n'importe où, et la *formule* à *n'importe quoi*; ces
aspects constants de l'œuvre et de toute une vie
s'organisent en un paradigme, que l'on peut vérifier

M ATTIGNY 334 15 22 6ᴴ3.5 S

JE PARS ARRIVERA

COURAGE ET PATIE

en tous points : dans une lettre d'Aden,
16 novembre 1882, après quatre phrases
contenant les mots familiers :

"Rimbaud, Arthur –
demeurant à : «de
passage» – maladie :
«néoplasme de la
cuisse» –, indique
le billet de salle
(ci-dessus) de l'hôpital
de la Conception, à
Marseille, où Rimbaud
est admis, le 20 mai
1891, au pavillon des
malades payants (ci-
contre).

«à présent» (trois fois), «en route»... «je pars»...
«revenir»..., nous lisons, attentifs à chaque mot :
«Qu'irais-je *chercher* là, *à présent*? Il vaut beaucoup
mieux que je tâche d'amasser *quelque chose* par *ici*.
L'important, et le plus *pressé*, pour *moi*, c'est d'être
indépendant *n'importe où*» : n'entendons-nous pas se
répéter la phrase de *Vagabonds*? Ne peut-on même
superposer l'une à l'autre, comme deux versions d'un
message chiffré? L'apoteghme de *Vagabonds* n'est pas
obscur, il est lumineux.

D'Attigny, madame Rimbaud informe Arthur de son arrivée imminente, par télégramme.

DEMAIN SOIR
CE = VVE RIMBAUD =

«Reprenons l'étude au bruit de l'œuvre dévorante»; extension

Il est aisé de retrouver les thèmes de ce paradigme dans n'importe quelle lettre de Rimbaud; par exemple, en 1886, ces mots de Tadjoura : «Si les épreuves surpassent ma patience [*pressé*], je retournerai [*lieu*] chercher [*trouver*] un travail [*formule*] à Aden [*lieu*] ou ailleurs. A Aden, je trouverai [*trouver*] toujours quelque chose à faire [*formule*].»... Avec quatre couleurs, attribuées chacune à un élément – temps, espace, projets (attitudes), comportements (moyens) –, à la façon des géologues qui versent des colorants dans les rivières pour remonter aux sources, une lecture scrupuleuse permet de saturer cinq cents pages de correspondance – à l'exception des seules données conjoncturelles (maladies, service militaire...). Les poèmes se comprennent pleinement dans cette familiarité; les *Illuminations* sont *illisibles* pour un... illecteur. Pour qui n'oppose pas la platitude des lettres à la

Le 22 mai 1891, le médecin chef, constatant que la tumeur au genou droit avait atteint un volume monstrueux, décide l'amputation immédiate. Les docteurs Nicolas et Pluyette procèdent à l'amputation, le mercredi 27 mai, assistés de deux jeunes externes, Edouard Beltrami et Louis Terras (ci-contre, vers 1891).

destin de devenir cul-de-jatte ! à ce moment, je suppose l'administration militaire me laissent tranquille ! – Espérons mieux

L ettre de Marseille, 2 juillet 1891 (haut de page). La ferme de Roche (en-dessous), «Laïtou, mon village», où Rimbaud passe l'été pourri de 1891.

profondeur des poèmes, la richesse des uns à la prétendue sécheresse des autres, non seulement la correspondance ne contredit pas l'œuvre, mais elle en tisse tous les thèmes : de même que les lettres dites du voyant sont indispensables à la lecture d'*Une saison en enfer*, le repos des lettres se comprend par le salut des poèmes, la lettre de la traversée du Saint-Gothard (1878) se lit comme une Illumination décodée; les lettres et les poèmes, tous les écrits de Rimbaud se décodent mutuellement.

«Quel mensonge dois-je tenir?»; de la sincérité

La phrase finale de *Vagabonds* est précédée de cette déclaration peu écoutée «en toute sincérité d'esprit» : Rimbaud représente un *cas de poésie* fondée la *sincérité*, nous avons tenté de le vérifier. Pris au mot, le poème peut être cru sur parole. Mais il ne s'agit pas de ça. «Merde pour la poésie», s'est-il exclamé. Rimbaud ne cherche pas le Beau, mais le Vrai. «J'ai assis la Beauté sur mes genoux. – Et je l'ai trouvée amère. – Et je l'ai injuriée.» : ouverture d'*Une saison en enfer*. Son tourment n'est pas d'ordre esthétique, mais éthique : c'est un tourment de vérité – qu'il souligne lui-même en refermant *Une saison en enfer* sur ces tout derniers mots : «Il me sera loisible de *posséder la vérité dans une âme et un corps*.»

L'œuvre et la vie de Rimbaud se placent sur un autre plan que celui de la littérature. L'un de ses rares amis proches, Louis Pierquin, notait dès le mois de décembre 1891, dans cet article du *Courrier des Ardennes* que lut Isabelle avec stupeur et qu'il faut relire mot à mot : «Rimbaud [...] torturé par cette prédisposition à chercher toujours l'au-delà.» Œuvre et vie sont marquées par une blessure ontologique. Autant que l'exégèse spirituelle qui ne lit pas, la critique strictement formaliste ne sait pas lire Rimbaud : l'Université des années soixante-dix, convaincue de structuralisme, écartant par convention toute relation de l'homme à l'œuvre, prétend que, «dans *Vagabonds*, tout est question de pronoms...»

L'impossibilité d'écrire et l'impossibilité de vivre égales et étrangement connexes : l'Œuvre-vie

Lire en marchant, c'est aussi considérer l'aspect *vital* d'une entreprise multiple, gouvernée par un souci constant. Si l'on mettait en lumière chaque fragment de l'œuvre, on reviendrait toujours, fondamentalement, à cette quête métaphysique («dans une âme») et physique («et un corps») exigée au plus vite ici-bas. «Les hommes sont des poèmes écrits par leur destin», disait le poète arabe Al Maari. Cette dimension de l'impossible dépasse la littérature autant qu'elle en livre l'accès.

NÉCROLOGIE

M. Gaëtan Guérinot, architecte du gouvernement, a succombé hier matin à Paris à l'âge de soixante et un ans.

Les obsèques auront lieu aujourd'hui samedi à Saint-Augustin.

Nous apprenons la mort, à Bruxelles, de M. Louis Cattreux, le distingué et dévoué représentant, en Belgique, de la Société des auteurs.

C'est à l'infatigable initiative de M. Louis Cattreux que sont dues les lois belges protectrices de la propriété littéraire et artistique.

Le gouvernement avait récompensé les services qu'il rendait dans ces assemblées en lui conférant la croix de la Légion d'honneur.

On annonce la mort d'Arthur Rimbaud.

Il rentrait en France après une longue absence, pour se faire soigner d'une affection à la jambe contractée dans ses voyages. Il est mort en rade de Marseille. Son corps a été inhumé dans le cimetière de Charleville, le 21 novembre, au moment même où un incident rappelait de nouveau l'attention sur son nom et sur ses poésies, les *Illuminations*.

Notre confrère, M. Alfred Paulet, le critique d'art bien connu, vient d'avoir la douleur de perdre sa mère.

E ntrefilet de *L'Echo de Paris* annonçant la mort de Rimbaud (6 décembre 1891).

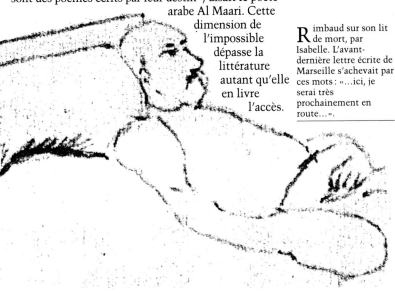

R imbaud sur son lit de mort, par Isabelle. L'avant-dernière lettre écrite de Marseille s'achevait par ces mots : «...ici, je serai très prochainement en route...».

Il n'est pas un élément qui ne se trouve dans la prétendue «deuxième partie» de la vie de Rimbaud, puis dans la «première», enfin dans l'œuvre, l'ensemble s'éclairant. Il n'y a pas d'un côté la «parole poétique» et de l'autre, négligeable ou méprisée, la «biographie», mais, disait Verlaine, «œuvre et vie superbes telles quelles dans leur fier *pendet interrupta*» : ce qu'il faudrait nommer *Œuvre-vie*.

«Poète maudit, sans doute…»; mais, corrige Verlaine dans la seconde édition des *Poètes maudits*, en 1888, «c'est poète absolu qu'il fallait dire». Finissons-en avec ce Rimbaud-qui-abandonne-la-poésie-pour-le-négoce, et cesse d'intéresser en 1878 : il faut tout lire et autrement. L'Œuvre-vie inclut les éléments biographiques, mais ne s'y réduit pas. La vie de Rimbaud n'est pas plus simple que son œuvre, elle est (pour reprendre en la soulignant la synthèse de Verlaine) «belle de logique et d'unité, *comme son œuvre*».

«Etonnante virginité» : l'étonnant

On admire en Rimbaud le perdant, le sacrifié, dans le cortège de ceux qui courent à leur propre perte, alors que l'on devrait aimer en lui la «liberté libre», la route blanche, la Nature immense, le surpassement de soi, l'innocence naïve – presque toujours cachée dans le sarcasme. «L'esprit bourgeois» s'épanouit dans cette idée que Rimbaud refuse de tout son être : croire à un état. Un poète qui se prend pour un poète, un médecin pour un médecin, un boulanger pour un boulanger, celui-là est perdu pour les hommes. Au paroxysme de la souffrance, Rimbaud n'a pas capitulé, pas plus que Nietzsche ou Hölderlin, par la folie, n'ont transigé : par la souffrance ou la folie, ils ont mené jusqu'au bout le *refus de tout état*.

Rimbaud étonne – au sens ancien et fort de *tonnerre* –, avec lui le monde redevient *étonnant*. Sa révolte, annexée jadis par les marxiens, et qui régale toujours les adolescents, n'est pas dirigée seulement

«Il y a peu à faire à Alger […]; j'ai pensé à l'Egypte […], puis à Aden, comme une ville plus neuve…», écrit Germain Nouveau à son ami, en termes exactement rimbaldiens. C'était à Alger, le 12 décembre 1893. L'ami fidèle espère retrouver Rimbaud, mort et enterré depuis deux ans. «Je serais très heureux d'avoir de tes nouvelles, très heureux…» La lettre pendant trois mois cherche son destinataire, cheminant par où Rimbaud est passé : Marseille, Paris, Modane, Aden Town, Aden Camp, le paquebot de la ligne T, Valenciennes, Attigny, Roche… – et, peut-être, le rejoint.

contre la société; pas seulement non plus contre l'Ange, ainsi que Tobie au tableau de Delacroix; mais contre les conditions qui nous sont faites de la fatalité du travail, l'incapacité du corps à coïncider avec la Nature et la pensée avec le monde, la séparation des sexes, le lieu inaccessible dans l'espace infini du désert, l'impossible repos : c'est en exigeant *l'éternité-sur-le-champ* que Rimbaud accomplit ce vœu de Hölderlin : «Habiter la terre en poète». Pour celui qui attend sans cesse «l'heure du désir et de la satisfaction essentiels» (*Conte*), il est toujours l'heure de la fuite, il est déjà «l'heure du trépas».

Pancarte d'une rue Arthur Rimbaud à Harar (1972), détruite par la révolution éthiopienne. Verlaine se rappelait encore, en 1895 (*Confessions*), les sentiments qu'il éprouvait à l'arrivée du jeune poète chez lui : «Il ne s'agissait […] pas même d'une affection […], mais bien d'une admiration, d'un étonnement extrêmes en face de ce gamin de seize ans qui avait alors écrit des choses, a dit excellemment Fénéon, *peut-être au-dessus de la littérature.*»

TÉMOIGNAGES
ET DOCUMENTS

Petit Volumphe *

«En dépit des significations douteuses qui, dans un sens ou un autre, inviteront à l'exploiter tendancieusement, Rimbaud demeure un maître prestigieux dans l'art d'écrire, un inventeur de formes dont les imitateurs sans nombre n'ont pu tarir la nouveauté.»
André Gide (1941)

Héliographie de Rimbaud par Carjat dont Izambard disait, en 1898 que c'était le portrait «le plus ressemblant».

* «Volume», en jargon rimbaldo-verlainien : «fin du volumphe», annonçait Verlaine à Delahaye (Stickney, 26 octobre 1875).

L'œuvre-vie : principes et figures de démonstration

«Rimbaud se hâte de l'un à l'autre, de l'enfance à l'enfer» René Char (1956).

Soient, pêle-mêles, quelques-uns de ces traits qui constituent la singularité d'un homme ou d'une œuvre, ébauchant un paradigme :

quelques thèmes : la marche, la Nature, la route, les champs, le matin, l'éclosion, l'or, la hâte, «ici», «ailleurs», l'Orient, l'inconnu, le désert, le refuge, le déluge, la prolocation (voir Ch. IV), le travail, nouveau-mieux, ancien-mauvais, la procrastination (voir Ch. II), patience et impatience, la fatigue, le feu, les livres, l'architecture, écrire, les langues, l'ennui, le chagrin, la colère, la méchanceté, la justice, l'innocence, le mendiant, la pitié, la folie, les armes, le mutisme, voir, ne pas voir, la bêtise, l'idiotie, la malédiction, la charité, la vélocité, l'élan, le bond, la pureté, la sainteté, le repos, le salut, la gloire, le désenchantement, la liberté;

quelques traits de caractère : orgueil, courage, vigueur, autoritarisme, indépendance, intransigeance, impulsivité, impatience, endurance, entêtement dans l'erreur, agressivité, accès brusques de rage, colère qui dépasse son objet, propension·à l'excès, absence de signal d'alarme, timidité, espièglerie, curiosité, résistance, mémoire vive, esprit de synthèse fulgurant, esprit d'analyse peu usité, naïveté, mélancolie, générosité, scrupules, honnêteté;

quelques comportements : travailler, rester caché, s'allonger longtemps sur le sol, connaître tout le monde, ne fréquenter personne, ne pas parler, dénigrer, ricaner, faire rire les autres, ne pas rire soi-même : rire sous cape, surprendre, changer, insulter, déguerpir, renoncer, abandonner, se travestir, ne craindre personne, impolitesse, attirance du danger, provocation, férocité, indifférence à son image, manie de tirer la langue, sévérité pour soi et pour les autres, exploits, dévouement discret, compassion, charité;

quelques goûts et dégoûts : les mots familiers (atroce, immense, splendide et toutes les hyperboles; trouver, quelque chose à faire, rien à faire; noms de lieux, chiffres et nombres); les passions : du soleil, du voyage, de l'architecture, des armes, du neuf, du danger, de la solitude; l'amour de la botanique, des bateaux et de la navigation, de la photographie, du bruit du travail; le goût du croquis sur le vif, de l'opéra bouffe, de la viande saignante, de la conversation avec les humbles, de l'adresse aux grands personnages, de la bataille; le dédain de la peinture, de la nourriture, de l'opinion des autres, des discours; la haine des chiens, de l'éloquence, de la séduction, du gaspillage, de l'ancien, de l'intrigue, de la mesquinerie, de la vanité, de l'«artisticaillerie», de l'esprit bourgeois etc...

Ernst Junger : «Le caractère d'un homme ne change pas, changent seulement les contours. On commet toujours les mêmes choses.» A la seule et unique exception du climat (le traumatisme de l'hiver 1878/79, qui porte Rimbaud définitivement vers les pays chauds), nous posons qu'il n'est pas un seul de ces cent cinquante éléments que l'on ne puisse, documents ou témoignages à l'appui, retrouver :
1) dans la prétendue «deuxième partie» de la vie de Rimbaud;
2) puis dans la «première»;
3) enfin dans l'Œuvre, l'ensemble s'éclairant.

C'est ce que voulait nous dire Verlaine, dès 1888 : «... la vie belle et logique de l'unité, comme son œuvre...», rejoint par une forte intuition de René Char (1956) : «Il faut considérer Rimbaud dans la seule perspective de la poésie. Est-ce si scandaleux? Son œuvre et sa vie se découvrent d'une cohérence sans égale...»

Alain Borer

SENSATION

Par les soirs bleus d'été, j'irai dans les sentiers,
Picoté par les blés, fouler l'herbe menue :
Rêveur, j'en sentirai la fraîcheur à mes pieds.
Je laisserai le vent baigner ma tête nue.

Je ne parlerai pas, je ne penserai rien :
Mais l'amour infini me montera dans l'âme,
Et j'irai loin, bien loin, comme un bohémien,
Par la Nature, – heureux comme avec une femme.

Mars 1870

Première Soirée

Elle était fort déshabillée,
Et de grands arbres indiscrets
Aux vitres jetaient leur feuillée
Malinement, tout près, tout près.

Assise sur une grande chaise,
Mi-nue elle joignait les mains.
Sur le plancher frissonnaient d'aise
Ses petits pieds si fins, si fins.

— Je regardai, couleur de cire,
Un petit rayon buissonnier
Papillonner dans son sourire
Et sur son sein, mouche ou rosier.

— Je baisai ses fines chevilles.
Elle eut un doux rire brutal
Qui s'égrenait en clairs trilles,
Un joli rire de cristal !

Les petits pieds sous la chemise
Se sauvèrent : « Veux-tu finir ! »
— La première audace permise,
Le rire feignait de punir !

— Pauvrets palpitants sous ma lèvre,
Je baisai doucement ses yeux.
— Elle jeta sa tête mièvre
En arrière : « Oh ! c'est encor mieux !...

« Monsieur, j'ai deux mots à te dire... »
— Je lui jetai le reste au sein
Dans un baiser qui la fit rire
D'un beau rire qui voulait bien...

Elle était fort déshabillée,
Et de grands arbres indiscrets
Aux vitres jetaient leur feuillée
Malinement, tout près, tout près...

ARTHUR RIMBAUD

Version inconnue du poème Trois Baisers, Première soirée *paru dans* Gil Blas, n° 23, *il y a juste un siècle, en 1891, le dimanche 29 novembre, trois semaines après la mort de Rimbaud. Le* Gil Blas *était un journal illustré et «amusant» de huit pages – pour lequel Verlaine en 1895 «prémédite un article» sur Rimbaud. La version du* Gil Blas *présente douze détails différents (ponctuation orthographe, variantes de trois mots) avec la version publiée par Rimbaud lui-même dans* La Charge *le samedi 13 août 1870, sous le titre* Trois Baisers *(le deuxième poème qu'il ait publié dans sa vie), et six différences du même ordre avec le manuscrit du recueil Demeny (1870), dont aucune édition (à la virgule près) n'a non plus été donnée correctement à ce jour. Probablement, ce poème aura été vendu pour quelques francs au* Gil Blas *par Rodolphe Darzens, qui publiait au même moment le* Reliquaire – *bien que* Première Soirée *dans le* Reliquaire *ne soit conforme exactement à aucune version non plus…*

AU CABARET-VERT

cinq heures du soir

Depuis huit jours, j'avais déchiré mes bottines
Aux cailloux des chemins. J'entrais à Charleroi.
– *Au Cabaret-Vert* : je demandai des tartines
De beurre et du jambon qui fût à moitié froid.

Bienheureux, j'allongeai les jambes sous la table
Verte : je contemplai les sujets très naïfs
De la tapisserie. – Et ce fut adorable,
Quand la fille aux tétons énormes, aux yeux vifs,

– Celle-là, ce n'est pas un baiser qui l'épeure ! –
Rieuse, m'apporta des tartines de beurre,
Du jambon tiède, dans un plat colorié,

Du jambon rose et blanc parfumé d'une gousse
D'ail, – et m'emplit la chope immense, avec sa mousse
Que dorait un rayon de soleil arriéré.

Octobre 1870

Rimbaud à Paul Demeny, lettre dite du «voyant»

Charleville, 15 mai 1871

J'ai résolu de vous donner une heure de littérature nouvelle; je commence de suite par un psaume d'actualité :

CHANT DE GUERRE PARISIEN
Le printemps est évident, car...
....
A. Rimbaud.

– Voici de la prose sur l'avenir de la poésie –

Toute poésie antique aboutit à la poésie grecque, Vie harmonieuse. – De la Grèce au mouvement romantique, – moyen âge, – il y a des lettrés, des versificateurs. D'Ennius à Theroldus, de Theroldus à Casimir Delavigne, tout est prose rimée, un jeu, avachissement et gloire d'innombrables générations idiotes : Racine est le pur, le fort, le grand. – On eût soufflé sur ses rimes, brouillé ses hémistiches, que le Divin Sot serait aujourd'hui aussi ignoré que le premier venu auteur d'*Origines*. – Après Racine, le jeu moisit. Il a duré deux mille ans.

Ni plaisanterie, ni paradoxe. La raison m'inspire plus de certitudes sur le sujet que n'aurait jamais eu de colères un Jeune-France. Du reste, libre aux *nouveaux*! d'exécrer les ancêtres : on est chez soi et l'on a le temps.

On n'a jamais bien jugé le romantisme. qui l'aurait jugé? Les critiques!! Les romantiques, qui prouvent si bien que la chanson est si peu souvent l'œuvre, c'est-à-dire la pensée chantée *et comprise* du chanteur?

Car Je est un autre. Si le cuivre s'éveille clairon, il n'y a rien de sa faute. Cela m'est évident : j'assiste à l'éclosion de ma pensée : je la regarde, je l'écoute : je lance un coup d'archet : la symphonie fait son remuement dans les profondeurs, ou vient d'un bond sur la scène.

Si les vieux imbéciles n'avaient pas trouvé du moi que la signification fausse, nous n'aurions pas à balayer ces millions de squelettes qui, depuis un temps infini, ont accumulé les produits de leur intelligence borgnesse, en s'en clamant les auteurs!

En Grèce, ai-je dit, vers et lyres *rythment l'Action*. Après, musiques et rimes sont jeux, délassements. L'étude de ce passé charme les curieux : plusieurs s'éjouissent à renouveler ces antiquités : – c'est pour eux. L'intelligence universelle a toujours jeté ses idées, naturellement; les hommes ramassaient une partie de ces fruits du cerveau : on agissait par, on en écrivait des livres : telle allait la marche, l'homme ne se travaillant pas, n'étant pas encore éveillé, ou pas encore dans la plénitude du grand songe. Des fonctionnaires, des écrivains : auteur, créateur, poète, cet homme n'a jamais existé!

La première étude de l'homme qui veut être poète est sa propre connaissance, entière; il cherche son âme, il l'inspecte, il la tente, l'apprend. Dès qu'il la sait, il doit la cultiver; cela semble simple : en tout cerveau s'accomplit un développement naturel; tant d'*égoïstes* se proclament auteurs; il en est bien d'autres qui s'attribuent leur progrès intellectuel! – Mais il s'agit de faire l'âme monstrueuse : à l'instar des comprachicos, quoi! Imaginez un homme s'implantant et se cultivant des verrues sur le visage.

Je dis qu'il faut être *voyant*, se faire *voyant*.

Le Poète se fait *voyant* par un long, immense et raisonné *dérèglement* de *tous les sens*. Toutes les formes d'amour, de souffrance, de folie; il cherche lui-même,

il épuise en lui tous les poisons, pour n'en garder que les quintessences. Ineffable torture où il a besoin de toute la foi, de toute la force surhumaine, où il devient entre tous le grand malade, le grand criminel, le grand maudit – et le suprême Savant! – Car il arrive à l'*inconnu*! Puisqu'il a cultivé son âme, déjà riche, plus qu'aucun! Il arrive à l'inconnu, et quand, affolé, il finirait par perdre l'intelligence de ses visions, il les a vues! Qu'il crève dans son bondissement par les choses inouïes et innommables : viendront d'autres horribles travailleurs; ils commenceront par les horizons où l'autre s'est affaissé!

– La suite à six minutes –

Ici j'intercale un second psaume *hors du texte* : veuillez tendre une oreille complaisante, – et tout le monde sera charmé. – J'ai l'archet en main, je commence :

> MES PETITES AMOUREUSES
> Un hydrolat lacrymal lave...
> ....

A. R.

Voilà. Et remarquez bien que, si je ne craignais de vous faire débourser plus de 60 c. de port, – moi pauvre effaré qui, depuis sept mois, n'ai pas tenu un seul rond de bronze! – je vous livrerais encore mes *Amants de Paris*, cent hexamètres, Monsieur, et ma *Mort de Paris*, deux cents hexamètres! –

Je reprends :

Donc le poète est vraiment voleur de feu.

Il est chargé de l'humanité, des *animaux* même; il devra faire sentir, palper, écouter ses inventions; si ce qu'il rapporte de *là-bas* a forme, il donne forme; si c'est informe, il donne de l'informe. Trouver une langue;

– Du reste, toute parole étant idée, le temps d'un langage universel viendra! Il faut être académicien, – plus mort qu'un fossile, – pour parfaire un dictionnaire, de quelque langue que ce soit. Des faibles se mettraient à *penser* sur la première lettre de l'alphabet, qui pourraient vite ruer dans la folie! –

Cette langue sera de l'âme pour l'âme, résumant tout, parfums, sons, couleurs, de la pensée accrochant la pensée et tirant. Le poète définirait la quantité d'inconnu s'éveillant en son temps dans l'âme universelle : il donnerait plus – que la formule de pensée, que la notation *de sa marche au Progrès*! Enormité devenant norme, absorbée par tous, il serait vraiment *un multiplicateur de progrès*!

Cet avenir sera matérialiste, vous le voyez; – Toujours pleins du *Nombre* et de l'*Harmonie*, ces poèmes seront faits pour rester. – Au fond, ce serait encore un peu la Poésie grecque.

L'art éternel aurait ses fonctions, comme les poètes sont citoyens. La Poésie ne rythmera plus l'action; elle *sera en avant*.

Ces poètes seront! Quand sera brisé l'infini servage de la femme, quand elle vivra pour elle et par elle, l'homme, – jusqu'ici abominable, – lui ayant donné son renvoi, elle sera poète, elle aussi! La femme trouvera de l'inconnu! Ses mondes d'idées différeront-ils des nôtres? – Elle trouvera des choses étranges, insondables, repoussantes, délicieuses; nous les prendrons, nous les comprendrons.

En attendant, demandons aux *poètes* du *nouveau*, – idées et formes. Tous les habiles croiraient bientôt avoir satisfait à cette demande. – Ce n'est pas cela!

Les premiers romantiques ont été *voyants* sans trop bien s'en rendre compte : la culture de leurs âmes s'est commencée aux accidents : locomotives abandonnées, mais brûlantes, que prennent quelque temps les rails. – Lamartine est quelquefois voyant, mais étranglé par la forme vieille. – Hugo, *trop cabochard*, a bien du VU dans les derniers volumes : *Les Misérables* sont un vrai *poème*. J'ai *Les Châtiments* sous main; *Stella* donne à peu près la mesure de la *vue* de Hugo. Trop de Belmontet et de Lamennais, de Jehovahs et de colonnes, vieilles énormités crevées.

Musset est quatorze fois exécrable pour nous, générations douloureuses et prises de visions, – que sa paresse d'ange a insultées! O! les contes et les proverbes fadasses! ô les nuits! ô Rolla, ô Namouna, ô la Coupe! tout est français, c'est-à-dire haïssable au suprême degré; français, pas parisien! Encore une œuvre de cet odieux génie qui a inspiré Rabelais, Voltaire, Jean La Fontaine, commenté par M. Taine! Printanier, l'esprit de Musset! Charmant, son amour! En voilà, de la peinture à l'émail, de la poésie solide! On savourera longtemps la poésie *française*, mais en France. Tout garçon épicier est en mesure de débobiner une apostrophe Rollaque; tout séminariste en porte les cinq cents rimes dans le secret d'un carnet. A quinze ans, ces élans de passion mettent les jeunes en rut; à seize ans, ils se contentent déjà de les réciter avec *cœur;* à dix-huit ans, à dix-sept même, tout collégien qui a le moyen fait le Rolla, écrit un Rolla! Quelques-uns en meurent peut-être encore. Musset n'a rien su faire : il y avait des visions derrière la gaze des rideaux : il a fermé les yeux. Français, panadif, traîné de l'estaminet au pupitre de collège, le beau mort est mort, et, désormais, ne nous donnons même plus la peine de le réveiller par nos abominations!

Les seconds romantiques sont très *voyants* : Th. Gautier, Lec[onte] de Lisle, Th. de Banville. Mais inspecter l'invisible et entendre l'inouï étant autre chose que reprendre l'esprit des choses mortes, Baudelaire est le premier voyant, roi des poètes, *un vrai Dieu*. Encore a-t-il vécu dans un milieu trop artiste; et la forme si vantée en lui est mesquine : les inventions d'inconnu réclament des formes nouvelles.

Rompue aux formes vieilles, parmi les innocents, A. Renaud, – a fait son Rolla; – L. Grandet, – a fait son Rolla; – Les gaulois et les Musset, G. Lafenestre, Coran, Cl. Popelin, Soulary, L. Salles; Les écoliers, Marc, Aicard, Theuriet; les morts et les imbéciles, Autran, Barbier, L. Pichat, Lemoyne, les Deschamps, les Desessarts; Les journalistes, L. Cladel, Robert Luzarches, X. de Ricard; les fantaisies, C. Mendès; les bohèmes; les femmes; les talents, Léon Dierx et Sully-

Prudhomme, Coppée, – la nouvelle
école, dite parnassienne, a deux voyants,
Albert Mérat et Paul Verlaine, un vrai
poète. – Voilà. Ainsi je travaille à me
rendre *voyant*. – Et finissons par un
chant pieux.

ACCROUPISSEMENTS

Bien tard, quand il se sent l'estomac
                      [écœuré,
....

    Vous seriez exécrable de ne pas
répondre : vite, car dans huit jours, je
serai Au revoir, à Paris, peut-être.

                       A. Rimbaud.

COMME JE DESCENDAIS DES FLEUVES IMPASSIBLES,
JE NE ME SENTIS PLUS GUIDÉ PAR LES HALEURS :
DES PEAUX-ROUGES CRIARDS LES AVAIENT PRIS POUR CIBLES
LES AYANT CLOUÉ NUS AUX POTEAUX DE COULEURS. [...]

(LE BATEAU IVRE, SEPTEMBRE 1871)

«Vers nouveaux et chansons»

BANNIÈRES DE MAI

Aux branches claires des tilleuls
Meurt un maladif hallali.
Mais des chansons spirituelles

Voltigent parmi les groseilles.
Que notre sang rie en nos veines,
Voici s'enchevêtrer les vignes.
Le ciel est joli comme un ange.
L'azur et l'onde communient.
Je sors. Si un rayon me blesse
Je sucomberai sur la mousse.

Qu'on patiente et qu'on s'ennuie
C'est trop simple. Fi de mes peines.
Je veux que l'été dramatique
Me lie à son char de fortune.
Que par toi beaucoup, ô Nature,
– Ah moins seul et moins nul! – je meure.
Au lieu que les Bergers, c'est drôle,
Meurent à peu près par le monde.

Je veux bien que les saisons m'usent.
A toi Nature, je me rends;
Et ma faim et toute ma soif.
Et, s'il te plaît, nourris, abreuve.
Rien de rien ne m'illusionne;
C'est rire aux parents, qu'au soleil,
Mais moi je ne veux rire à rien;
Et libre soit cette infortune.

                       Mai 1872

CHANSON DE LA
PLUS HAUTE TOUR

Oisive jeunesse
A tout asservie,
Par délicatesse
J'ai perdu ma vie.
Ah! Que le temps vienne
Où les cœurs s'éprennent.

Je me suis dit : laisse,
Et qu'on ne te voie :
Et sans la promesse
De plus hautes joies.
Que rien ne t'arrête
Auguste retraite.

J'ai tant fait patience
Qu'à jamais j'oublie;
Craintes et souffrances
Aux cieux sont parties.

Et la soif malsaine
Obscurcit mes veines.

Ainsi la Prairie
A l'oubli livrée,
Grandie, et fleurie
D'encens et d'ivraies
Au bourdon farouche
De cent sales mouches.

Ah! Mille veuvages
De la si pauvre âme
Qui n'a que l'image
De la Notre-Dame!
Est-ce que l'on prie
La Vierge Marie?

Oisive jeunesse
A tout asservie
Par délicatesse
J'ai perdu ma vie.
Ah! Que le temps vienne
Où les cœurs s'éprennent!

                                        Mai 1872

L'ÉTERNITÉ

Elle est retrouvée.
Quoi? – L'Eternité.
C'est la mer allée
Avec le soleil.

Ame sentinelle,
Murmurons l'aveu
De la nuit si nulle
Et du jour en feu.

Des humains suffrages,
des communs élans
Là tu te dégages
Et voles selon.

Puisque de vous seules,
Braises de satin,
Le Devoir s'exhale
Sans qu'on dise : enfin.

Là pas d'espérance,
Nul orietur.
Science et patience,
Le supplice est sûr.

Elle est retrouvée.
Quoi? – L'Eternité.
C'est la mer allée
Avec le soleil.

                                        Mai 1872

FÊTES DE LA FAIM

Ma faim, Anne, Anne,
Fuis sur ton âne.

Si j'ai du *goût,* ce n'est guères
Que pour la terre et les pierres.
Dinn! dinn! dinn! dinn! Je pais l'air,
Le roc, les Terres, le fer.

Tournez, les faims, paissez, faims,
    Le pré des sons!
Puis l'aimable et vibrant venin
    Des liserons;

Les cailloux qu'un pauvre brise,
Les vieilles pierres d'églises,
Les galets, fils des déluges,
Pains couchés aux vallées grises!

Mes faims, c'est les bouts d'air noir;
    L'azur sonneur;
– C'est l'estomac qui me tire.
    C'est le malheur.

Sur terre ont paru les feuilles :
Je vais aux chairs de fruit blettes.
Au sein du sillon je cueille
La doucette et la violette.

    Ma faim, Anne, Anne,
    Fuis sur ton âne.

☆

Ô saisons, ô châteaux
Quelle âme est sans défauts?

Ô saisons, ô châteaux,

J'ai fait la magique étude
Du bonheur, que nul n'élude.

Ô vive lui, chaque fois
Que chante son coq gaulois.

Mais! je n'aurai plus d'envie,
Il s'est chargé de ma vie.

Ce charme! il prit âme et corps,
Et dispensera tous efforts.

Que comprendre à ma parole?
Il fait qu'elle fuit et vole!

Ô saisons, ô châteaux!

[Et, si le malheur m'entraîne,
Sa digrâce m'est certaine.

Il faut que son dédain, las!
Me livre au plus prompt trépas!

– Ô Saisons, ô Châteaux!]

«Une saison en enfer»

MAUVAIS SANG

Me voici sur la plage armoricaine. Que les villes s'allument dans le soir. Ma journée est faite; je quitte l'Europe. L'air marin brûlera mes poumons; les climats perdus me tanneront. Nager, broyer l'herbe, chasser, fumer surtout; boire des liqueurs fortes comme du métal bouillant, – comme faisaient ces chers ancêtres autour des feux.

Je reviendrai, avec des membres de fer, la peau sombre, l'œil furieux : sur mon masque, on me jugera d'une race forte. J'aurai de l'or : je serai oisif et brutal. Les femmes soignent ces féroces infirmes retour des pays chauds. Je serai mêlé aux affaires politiques. Sauvé.

Maintenant je suis maudit, j'ai horreur de la patrie. Le meilleur, c'est un sommeil bien ivre, sur la grève.

On ne part pas. – Reprenons les chemins d'ici, chargé de mon vice, le vice qui a poussé ses racines de souffrance à mon côté, dès l'âge de raison – qui monte au ciel, me bat, me renverse, me traîne.

La dernière innocence et la dernière timidité. C'est dit. Ne pas porter au monde mes dégoûts et mes trahisons.

Allons! La marche, le fardeau, le désert, l'ennui et la colère.

A qui me louer? Quelle bête faut-il adorer? Quelle sainte image attaque-t-on? Quels cœurs briserai-je? Quel mensonge dois-je tenir? – Dans quel sang marcher?

Plutôt, se garder de la justice. – La vie dure, l'abrutissement simple, – soulever, le poing desséché, le couvercle du cercueil, s'asseoir, s'étouffer. Ainsi point de vieillesse, ni de dangers : la terreur n'est pas française.

– Ah! je suis tellement délaissé que j'offre à n'importe quelle divine image des élans vers la perfection.

O mon abnégation, ô ma charité merveilleuse! ici-bas, pourtant!

De profundis Domine, suis-je bête!

Les «Illuminations»

VILLE

Je suis un éphémère et point trop mécontent citoyen d'une métropole crue moderne parce que tout goût connu a été éludé dans les ameublements et l'extérieur des maisons aussi bien que dans le plan de la ville. Ici vous ne signaleriez les traces d'aucun monument de superstition. La morale et la langue sont réduites à leur plus simple expression, enfin! Ces millions de gens qui n'ont pas besoin de se connaître amènent si pareillement l'éducation, le métier et la vieillesse, que ce cours de vie doit être plusieurs fois moins long que ce qu'une statistique folle trouve pour les peuples du continent. Aussi comme, de ma fenêtre, je vois des spectres nouveaux roulant à travers l'épaisse et éternelle fumée de charbon, – notre ombre des bois, notre nuit d'été! – des Erinnyes nouvelles, devant mon cottage qui est ma patrie et tout mon cœur puisque tout ici ressemble à ceci, – la Mort sans pleurs, notre active fille et servante, un Amour désespéré, et un joli Crime piaulant dans la boue de la rue.

AUBE

J'ai embrassé l'aube d'été.

Rien ne bougeait encore au front des palais. L'eau était morte. Les camps d'ombres ne quittaient pas la route du bois. J'ai marché, réveillant les haleines vives et tièdes, et les pierreries regardèrent, et les ailes se levèrent sans bruit.

La première entreprise fut, dans le sentier déjà empli de frais et blêmes éclats, une fleur qui me dit son nom.

Je ris au wasserfall blond qui s'échevela à travers les sapins : à la cime argentée je reconnus la déesse.

Alors je levai un à un les voiles. Dans l'allée, en agitant les bras. Par la plaine, où je l'ai dénoncée au coq. A la grand'ville elle fuyait parmi les clochers et les dômes, et courant comme un mendiant sur les quais de marbre, je la chassais.

En haut de la route, près d'un bois de lauriers, je l'ai entourée avec ses voiles amassés, et j'ai senti un peu son immense corps. L'aube et l'enfant tombèrent au bas du bois.

Au réveil il était midi.

La traversée du Saint -Gothard

RIMBAUD AUX SIENS

Gênes, le dimanche 17 novembre 1878

Chers amis,
J'arrive ce matin à Gênes, et reçois vos lettres. Un passage pour l'Egypte se paie en or, de sorte qu'il n'y a aucun bénéfice. Je pars lundi 19, à 9 heures du soir. On arrive à la fin du mois.

Quant à la façon dont je suis arrivé ici, elle a été accidentée et rafraîchie de temps en temps par la saison. Sur la ligne droite des Ardennes en Suisse, voulant rejoindre, de Remireront, la correspondance allemande à Wesserling, il m'a fallu passer par les Vosges; d'abord en diligence, puis à pied, aucune diligence ne pouvant plus circuler, dans cinquante centimètres de neige en moyenne et par une tourmente signalée. Mais l'exploit prévu était le passage du Gothard, qu'on ne passe plus en voiture à cette saison, et que je ne pouvais passer en voiture.

A Altdorf, à la pointe méridionale du lac des Quatre-Cantons qu'on a côtoyé en vapeur, commence la route du Gothard. A Amsteg, à une quinzaine de kilomètres d'Altdorf, la route commence à grimper et à tourner selon le caractère alpestre. Plus de vallées, on ne fait plus que dominer des précipices, par-dessus les bornes décamétriques de la route. Avant d'arriver à Andermatt, on passe un endroit d'un horreur remarquable, dit le Pont-du-Diable, – moins beau pourtant que la Via Mala du Splügen, que vous avez en gravure. A Göschenen, un village devenu bourg par l'affluence des ouvriers, on voit au fond de la gorge l'ouverture du fameux tunnel, les ateliers et les cantines de l'entreprise. D'ailleurs, tout ce pays d'aspect si féroce est fort travaillé et travaillant. Si l'on ne voit pas de batteuses à vapeur dans la gorge, on entend un peu partout la scie et la pioche sur le hauteur invisible. Il va sans dire que l'industrie du pays se montre surtout en morceaux de bois. Il y a beaucoup de fouilles minières. Les aubergistes vous offrent des spécimens minéraux plus ou moins curieux, que le diable, dit-on, vient acheter au sommet des collines et va revendre en ville.

Puis commence la vraie montée, à Hospital, je crois : d'abord presque une escalade, par les traverses, puis des plateaux ou simplement la route des voitures. Car il faut bien se figurer que l'on ne peut suivre tout le temps celle-ci, qui ne monte qu'en zig-zags ou terrasses fort douces, ce qui mettrait un temps infini, quand il n'y a à pic que 4 900 d'élévation, pour chaque face, et même moins de 4 900, vu l'élévation du voisinage. On ne monte non plus à pic, on suit des montées habituelles, sinon frayées. Les gens non habitués au spectacle des montagnes apprennent aussi qu'une montagne peut avoir des pics, mais qu'un pic n'est pas la montagne. Le sommet du Gothard a donc plusieurs kilomètres de superficie.

La route, qui n'a guère que six mètres de largeur, est comblée tout le long à droite par une chute de neige de près de deux mètres de hauteur, qui, à chaque instant, allonge sur la route une barre d'un mètre de haut qu'il faut fendre sous une atroce tourmente de grésil. Voici! plus une ombre dessus, dessous ni autour, quoique nous soyons entourés d'objets énormes; plus de route, de précipices, de gorge ni de ciel : rien que du blanc à songer, à toucher, à voir ou à ne pas voir, car impossible de lever les yeux de l'embêtement blanc qu'on croit être le milieu du sentier. Impossible de lever le nez à une bise aussi carabinante, les cils et la moustache en stalactites, l'oreille déchirée, le cou gonflé. Sans l'ombre qu'on est soi-même, et sans les poteaux du télégraphe, qui suivent la route supposée, on serait aussi embarrassé qu'un pierrot dans un four.

Voici à fendre plus d'un mètre de haut, sur un kilomètre de long. On ne voit plus ses genoux de longtemps. C'est échauffant. Haletants, car en une demi-heure la tourmente peut nous ensevelir sans trop d'efforts, on s'encourage par des cris (on ne monte jamais tout seul, mais par bandes). Enfin voici une cantonnière : on y paie le bol d'eau salée 1,50. En route. Mais le vent s'enrage, la route se comble visiblement. Voici un convoi de traîneaux, un cheval tombé moitié enseveli. Mais la route se perd. De quel côté des poteaux est-ce? (Il n'y a de poteaux que d'un côté.) On dévie, on plonge jusqu'aux côtes, jusque sous les bras... Une ombre pâle derrière une tranchée : c'est l'hospice du Gothard, établissement civil et hospitalier, vilaine bâtisse de sapin et de pierres; un clocheton. A la sonnette, un jeune homme louche vous reçoit; on monte dans une salle basse et malpropre où on vous régale de droit de pain et fromage, soupe et goutte. On voit les beaux gros chiens jaunes à l'histoire connue. Bientôt arrivent à moitié morts les retardataires de la montagne. Le soir on est une trentaine, qu'on distribue, après la soupe, sur des paillasses dures et sous des couvertures insuffisantes. La nuit, on entend les hôtes exhaler en cantiques sacrés leur plaisir de voler un jour de plus les gouvernements qui subventionnent leur cahute.

Au matin, après le pain-fromage-goutte, raffermis par cette hospitalité gratuite qu'on peut prolonger aussi longtemps que la tempête le permet, on sort : ce matin, au soleil, la montagne est merveilleuse : plus de vent, toute descente, par les traverses, avec des sauts, des dégringolades kilométriques qui vous font arriver à Airolo, l'autre côté du tunnel, où la route reprend le caractère alpestre, circulaire et engorgé, mais descendant. C'est le Tessin.

La route est en neige jusqu'à plus de trente kilomètres du Gothard. A trente kilomètres seulement, à Giornico, la vallée s'élargit un peu. Quelques berceaux de vignes et quelques bouts de prés qu'on fume soigneusement avec des feuilles et autres détritus de sapin qui ont dû servir de litière. Sur la route défilent chèvres, bœufs et vaches gris, cochons noirs. A Bellinzona, il y a un fort marché de ces bestiaux. A Lugano, à vingt lieues du Gothard, on prend le train et on va de l'agréable lac de Lugano à l'agréable lac de Como. Ensuite, trajet connu.

Je suis tout à vous, je vous remercie et dans une vingtaine de jours vous aurez une lettre.

Votre ami.

A monsieur de Gaspary, consul de France à Aden

Aden, le 9 novembre 1887

Monsieur,
Je reçois votre lettre du 8 et je prends note de vos observations.

Je vous envoie la copie du compte des frais de la caravane Labatut, devant garder par devers moi l'original, parce que le chef de caravane qui l'a signé a volé par la suite une partie des fonds que lui avait comptés pour le paiement des chameaux, l'Azzaze s'entête, en effet, à ne jamais verser les frais de caravane aux Européens eux-mêmes, qui régleraient ainsi sans difficulté : les Dankalis trouvent là une belle occasion d'embrouiller l'Azzaze et le Frangui à la fois, et chacun des Européens s'est vu ainsi arracher par les Bédouins 75 % en plus de ses frais de caravane, l'Azzaze et Ménélik lui-même ayant l'habitude, avant l'ouverture de la route du Harar, de donner invariablement raison au Bédouin contre le Frangui.

C'est prévenu de tout cela que j'eus l'idée de faire signer un compte de caravane à mon chef. Cela ne l'empêcha pas, au moment de mon départ, de me porter devant le roi en réclamant quelque 400 thalers en plus du compte approuvé par lui! Il avait en cette occasion pour avocat *le redoutable bandit Mohammed Abou-Beker*, l'ennemi des négociants et voyageurs européens au Choa.

Mais le roi, sans considérer la signature du Bédouin (car les papiers ne sont rien du tout au Choa), comprit qu'il mentait, insulta par occasion

Mohammed, qui se démenait contre moi en furieux, et me condamna seulement à payer une somme de trente thalers et un fusil Remington : mais je ne payai rien du tout. J'appris par la suite que le chef de caravane avait prélevé ces 30 thalers sur le fond versé par l'Azzaze entre ses mains pour le paiement des Bédouins, et qu'il les avait employés en achat d'esclaves, qu'il envoya avec la caravane de MM. Savouré, Dimitri, Brémond, et qui moururent tous en route, et lui-même alla se cacher au Djimma Abba-Djifar, où l'on dit qu'il est mort de la dysenterie. L'Azzaze eut donc, un mois après mon départ, à rembourser ces 400 thalers aux Bédouins; mais, si j'avais été présent, il me les aurait certainement fait payer.

Les ennemis les plus dangereux des Européens en toutes ces occasions sont les Abou-Beker, par la facilité qu'ils ont d'approcher l'Azzaze et le roi, pour nous calomnier, dénigrer nos manières, pervertir nos intentions. Aux Bédouins dankali ils donnent effrontément l'exemple du vol, les conseils d'assassinat et de pillage. L'impunité leur est assurée en tout par l'autorité abyssine et par l'autorité européenne sur les côtes, qu'ils dupent grossièrement l'une et l'autre. Il y a même des Français au Choa qui, pillés en route par Mohammed, et à présent encore en butte à toutes ses intrigues, vous disent néanmoins : «Mohammed, c'est un bon garçon!», mais les quelques Européens au Choa et au Harar qui connaissent la politique et les mœurs de ces gens, exécrés par toutes les tribus Issa Dankali, par les Galla et les Amhara, fuient leur approche comme la peste.

Les trente-quatre Abyssins de mon escorte m'avaient bien, à Sajalo, avant le départ, fait signer une obligation de leur payer à chacun 15 thalers pour la route et deux mois de paie arriérés, mais à Ankober, irrité de leurs insolentes réclamations, je leur saisis le bon et le déchirai devant eux; il y eut par suite plainte à l'Azzaze, etc. Jamais d'ailleurs, on ne prend de reçus des gages payés aux domestiques au Choa : ils trouveraient cet acte très étrange, et se croiraient très en danger d'on ne sait quoi.

Je n'aurais pas payé à l'Azzaze les 300 thalers pour Labatut, si je n'avais découvert moi-même, dans un vieux calepin trouvé à la baraque de Mme Labatut, une annotation de l'écriture de Labatut portant reçu de l'Azzaze de cinq okiètes d'ivoire moins quelques rotolis. Labatut rédigeait en effet ses *Mémoires* : j'en ramassai trente-quatre volumes, soit

trente-quatre calepins, au domicile de sa veuve, et, malgré les imprécations de cette dernière, je les livrai aux flammes, ce qui fut, m'expliqua-t-on, un grand malheur, quelques titres de propriété se trouvant intercalés parmi ces confessions qui, parcourues à la légère, m'avaient paru indignes d'un examen sérieux.

D'ailleurs ce sycophante d'Azzaze débouchant à Farré avec ses bourriques au moment où je débouchais avec mes chameaux, m'avait immédiatement insinué, après les salutations, que le Frangui, au nom de qui j'arrivais, avait avec lui un compte immense, et il avait l'air de me demander la caravane entière en gage. Je calmai ses ardeurs, provisoirement, par l'offre d'une lunette à moi, de quelques flacons de dragées Morton. Et je lui expédiai par la suite, à distance, ce qui me semblait réellement son dû. Il fut amèrement désillusionné, et agit toujours très hostilement avec moi; entre autres, il empêcha l'autre sycophante, l'aboune, de me payer une charge de raisins secs que je lui apportais pour la fabrication du petit vin des messes.

Quant aux diverses créances que j'ai payées sur Labatut, cela s'opérait de la manière suivante :

Arrivait par exemple chez moi un Dedjatch, et s'asseyait à boire mon tedj, en vantant les nobles qualités de *l'ami* (feu Labatut) et en manifestant l'espoir de découvrir en moi les mêmes vertus. A la vue d'un mulet broutant la pelouse, on s'écriait : «C'est ça le mulet que j'ai donné à Labatut!» (on ne disait pas que le burnous qu'on avait sur le dos, c'était Labatut qui l'avait donné!) «D'ailleurs, ajoutait-on, il est resté mon débiteur pour 70 thalers (ou 50, ou 60, etc.!)» Et on insistait sur cette réclamation, si bien que je congédiais le noble malandrin en lui disant : «Allez au roi!» (Ça veut à peu

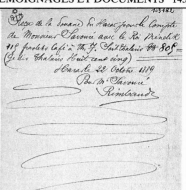

près dire : «Allez au diable!») Mais le roi me faisait payer une partie de la réclamation, ajoutant hypocritement qu'il paierait le reste!

Mais j'ai payé aussi sur des réclamations fondées, par exemple à leurs femmes, les gages des domestiques morts en route à la descente de Labatut; ou bien c'était le remboursement de quelques 30, 15, 12 thalers que Labatut avait pris de quelques paysans en leur promettant en retour quelques fusils, quelques étoffes, etc. Ces pauvres gens étant toujours de bonne foi, je me laissais toucher et je payais. Il me fut aussi réclamé une somme de 20 thalers par un M. Dubois; je vis qu'il y avait droit et je payai en ajoutant, pour les intérêts, une paire de mes souliers, ce pauvre diable se plaignant d'aller nu-pieds.

Mais la nouvelle de mes vertueux procédés se répandait au loin; il se leva, de-ci de-là, toute une série, toute une bande, toute une horde de créanciers à Labatut, avec des boniments à faire pâlir, et cela modifia mes dispositions bienveillantes, et je pris la détermination de descendre du Choa au pas accéléré. Je me rappelle qu'au matin de mon départ, trottant déjà vers le N.-N.-E., je vis surgir d'un buisson un délégué d'une femme d'un ami de Labatut, me réclamant au nom de la Vierge Marie une somme de 19 thalers; et, plus loin, se précipitait du haut d'un promontoire un être avec une pèlerine en peau de mouton, me demandant si j'avais payé 12 thalers à son frère, empruntés par Labatut, etc. A ceux-là, je criai qu'il n'était plus temps!

La veuve Labatut m'avait, à ma montée à Ankober, intenté auprès de l'Azzaze un procès épineux tendant à la revendication de la succession. M. Hénon, voyageur français, s'était constitué son avocat dans cette noble tâche, et c'était lui qui me faisait citer et qui dictait à la veuve l'énoncé de ses prétentions, avec l'aide de deux vieilles avocates amhara. Après d'odieux débats où j'avais tantôt le dessus, tantôt le dessous, l'Azzaze me donna un ordre de saisie aux maisons du défunt. Mais la veuve avait déjà caché au loin les quelques centaines de thalers de marchandises, d'effets et de curiosités laissés par lui et, à la saisie que j'opérai non sans résistance, je ne trouvai que quelques vieux caleçons dont s'empara la veuve avec des larmes de feu, quelques moules à balles et une douzaine d'esclaves enceintes que je laissai.

M. Hénon intenta au nom de la veuve une action en appel, et l'Azzaze, ahuri, abandonna la chose au jugement des Franguis présents alors à Ankober. M. Brémond décida alors que, mon affaire paraissant déjà désastreuse, je n'aurais à céder à cette mégère que les terrains, jardins et bestiaux du défunt, et que, à mon départ, les Européens se cotiseraient pour une somme de cent thalaris à donner à la femme. M. Hénon, procureur de la plaignante, se chargea de l'opération et resta lui-même à Ankober.

La veille de mon départ d'Entotto, montant avec M. Ilg chez le monarque pour prendre le bon sur le Dedjatch du Harar, j'aperçus derrière moi dans la montagne le casque de M. Hénon qui, apprenant mon départ, avait franchi avec rapidité les 120 kilomètres d'Ankober à Entotto, et, derrière lui, le burnous de la frénétique veuve, serpentant au long des précipices. Chez le roi, je dus faire antichambre quelques heures, et *ils* tentèrent auprès de lui une démarche désespérée. Mais, quand je fus introduit, M. Ilg me dit en quelques mots qu'*ils* n'avaient pas réussi. Le monarque déclara qu'il avait été l'ami de ce Labatut, et qu'il avait l'intention de perpétuer son amitié sur sa descendance, et comme preuve, il retira de suite à la veuve la jouissance des terres qu'il avait données à Labatut!

Le but de M. Hénon était de me faire payer les cent thalers qu'il devait, *lui*, réunir pour la veuve chez les Européens. J'appris qu'après mon départ la souscription n'eut pas lieu!

M. Ilg qui, en raison de sa connaissance des langues et de son honnêteté, est généralement employé par le roi au règlement des affaires de la cour avec les Européens, me faisait comprendre que Ménélik se prétendait de fortes créances sur Labatut. En effet, le jour où l'on fit le prix de mes mises, Ménélik dit qu'il lui était dû beaucoup, ce à quoi je ripostai en demandant des preuves. C'était un samedi, et le roi reprit qu'on consulterait les comptes. Le lundi, le roi déclara que, ayant fait dérouler les cornets qui servent d'archives, il avait retrouvé une somme d'environ 3 500 thalaris, et qu'il la soustrayait de mon compte, et que d'ailleurs, en vérité, tout le bien de Labatut devait lui revenir, tout cela d'un ton qui n'admettait plus de contestation. J'alléguais les créanciers européens, produisant ma créance en dernier lieu, et, sur les remontrances de M. Ilg, le roi consentit hypocritement à abandonner les trois huitièmes de sa réclamation.

Pour moi, je suis convaincu que le Négous m'a volé, et, ses marchandises

circulant sur des routes que je suis encore condamné à parcourir, j'espère pouvoir les saisir un jour, pour la valeur de ce qu'il me doit, de même que j'ai à saisir le Ras Govana pour une somme de 600 thalaris dans le cas où il persisterait dans ses réclamations, après que le roi lui a fait dire de se taire, ce que le roi fait toujours dire aux autres quand il s'est payé lui-même.

Telle est, Monsieur le Consul, la relation de mon paiement des créances sur la caravane Labatut aux indigènes, excusez-moi de vous l'avoir faite en ce style, pour faire diversion à la nature des souvenirs que me laissa cette affaire, et qui sont, en somme, très désagréables.

Agréez, Monsieur le Consul, l'assurance de mon respectueux dévouement.

Rimbaud.

Lettre au directeur des Messageries maritimes

Marseille, 9 novembre 1891

Un lot : Une dent seule.
Un lot : Deux dents
Un lot : Trois dents
Un lot : Quatre dents.
Un lot : Deux dents.

Monsieur le Directeur,
Je viens vous demander si je n'ai rien laissé à votre compte. Je désire changer aujourd'hui de ce service-ci, dont je ne connais même pas le nom, mais en tout cas que ce soit le service d'Aphinar. Tous ces services sont partout, et moi, impotent, malheureux, je ne peux rien trouver, le premier chien dans la rue vous cela.

Envoyez-moi donc le prix des services d'Aphinar à Suez. Je suis complètement paralysé : donc je désire me trouver de bonne heure à bord. Dites-moi à quelle heure je dois être transporté à bord...

Le dernier voyage de Rimbaud

Arthur Rimbaud infirme séjourne dans la ferme familiale de Roche depuis le 23 juillet 1891. Souffrant atrocement, il souhaite retourner à l'hôpital de La Conception, à Marseille - où il va mourir. Sa sœur Isabelle l'accompagne et le soigne, en ce dernier départ du 23 août 1891.

Le Récit d'Isabelle, écrit en 1897, paru dans La Revue Blanche, *puis recueilli dans* Reliques *(Mercure de France, 1922), pathétique et authentique, donne la mesure du paroxysme de la détresse auquel atteint Rimbaud – et permet aussi de le retrouver toujours tel qu'en lui-même...*

De Marseille, après l'amputation, le 23 juillet 1891, il s'était fait conduire à Roche avec le désir de s'y reposer pendant deux ou trois mois, avec l'espoir d'y retrouver dans un calme absolu le sommeil qui l'avait fui. Mais rien ne lui réussissait; il eût semblé que la fatalité s'acharnait contre lui, dans les plus simples choses. Les éléments incléments se liguaient, froid, brouillard, pluie, et, si le soleil tant désiré se montrait parfois, trop chaud, d'une maladive chaleur, c'était pour attirer vers une promenade au cours de laquelle survenait une ondée. [...]

L'insomnie des premières nuits, la fièvre et les souffrances corporelles furent attribuées à la fatigue du voyage; la solitude, l'ennui, le manque total de distractions se nommèrent calme, tranquillité. Il parlait peu de lui et des années passées en Orient, si ce n'est pour désirer repartir au plus tôt pour Harar, où, disait-il : «il faut absolument que je retourne». Alors, il se résignait presque à son amputation, faisait des projets en vue de pouvoir, malgré son membre absent, monter à cheval là-bas et continuer pendant un certain temps encore sa vie active.

Il se fit prendre mesure d'une jambe artificielle soigneusement articulée, celle achetée à Marseille étant par lui jugée insuffisante. Il béquillait peu; l'aisselle droite lui faisait trop mal. Le moignon guéri ne supportait non plus sans douleur très sensible la jambe de bois.[...]

Il n'avait pas abandonné ses desseins matrimoniaux : au contraire. Le malheur récent avait plutôt irrité en lui le désir de se créer une famille. Mais, à présent, il ne «s'exposerait pas au dédain d'une fille de bourgeois; il irait chercher dans un orphelinat une fille d'antécédents et d'éducation irréprochables, ou bien il épouserait une femme catholique, de race noble abyssine».

S'il parlait rarement de lui, en revanche il détaillait volontiers les habitudes et les faits d'Abyssinie et d'Aden. En peu de mots, il expliquait beaucoup, de façon précise et charmante. Parfois il plaisantait, tournant en ridicule tout, le passé, le présent, l'avenir, les objets qui l'entouraient, les gens qu'il connaissait et lui-même; et, de son lit, il avait alors le pouvoir de faire rire aux larmes son auditoire.

Cependant, au lieu de s'améliorer, son état de santé empirait. Le sommeil n'était pas revenu; les douleurs, attribuées à tort à l'humidité régnante, augmentaient et le torturaient sans trêve. Le médecin constata que le fémur tranché augmentait de volume. La souffrance à l'aisselle devenait intolérable et, symptôme alarmant, le bras droit rigide. Un ennui insurmontable, mortel, l'envahissait. Il devenait irritable. Roche, surnommé *Terre-des-Loups*, lui faisait horreur. Les promenades, en la voiture trop lentement menée et cahotante, le suppliciaient. L'impossibilité de béquiller, l'aisselle étant trop malade, le contraignait à une immobilité insupportable.

Il voulut absolument recouvrer le sommeil. L'effet des potions ordonnées étant presque nul, un simple remède de bonne femme fut essayé, qui ne réussit relativement que trop bien : il but des tisanes de pavot et vécut plusieurs jours dans un rêve réel très étrange. La sensibilité cérébrale ou nerveuse étant surexcitée, en l'état de veille les effets opiacés du remède se continuèrent, procurant chez lui l'impérieux besoin de confidence. Portes et volets hermétiquement clos, toutes lumières, lampes et cierges, allumées, au son doux et entretenu d'un tout petit orgue de barbarie, il repassait sa vie, évoquait ses souvenirs d'enfance, développait ses pensées intimes, exposait plans d'avenir et projets.

Ainsi l'on sut que là-bas, au Harar, il avait appris la possibilité de réussir en France dans la littérature, mais qu'il se félicitait de n'avoir pas continué l'œuvre de jeunesse parce que «c'était mal». Alors aussi, aux moments de vue dans l'avenir, il commença à désigner ses légataires préférés. Sa voix attendrie, un peu lente, prenait des accents de pénétrante beauté; il entremêlait souvent à son langage des locutions de style oriental et même des expressions empruntées aux langues étrangères d'Occident; le tout très compréhensible et clair et prenant dans sa bouche un charme singulièrement exquis.

Au bout de quelques jours, l'intoxication se poursuivant, les hallucinations commencèrent. La mémoire eut d'étranges faiblesses, cependant que le corps débilité expulsait d'abondantes et continuelles sueurs et qu'après chaque repas, quelque réduit qu'il fût, se produisaient des congestions partielles. Une nuit, se figurant ingambe et cherchant à saisir quelque vision imaginaire apparue, puis enfuie, réfugiée peut-être en un angle de la chambre, il voulut seul descendre de son lit et poursuivre l'illusion. On accourut au bruit de la chute lourde de son grand corps; il était étendu complètement nu sur le tapis. [...]

L'état moral se ressentait naturellement de l'effondrement physique. Ce furent des crises de désespoir, des larmes, une colère nerveuse à laquelle succédaient, sans transition, des attendrissements angéliques et des caresses. Il était possédé de la crainte affreuse de devenir et de rester paralysé – l'immobilité forcée dans l'avenir! – autant que du désir intense de guérir, à tout prix. Tout, des mois, des années de traitement barbare et de drogues infectes, tout, il eût tout subi avec joie, pourvu que l'usage de ses bras et de sa jambe lui fût rendu et conservé.

Puis, l'idée fixe de retourner au Harar (au moins pour quelque temps) le hantant, d'autant plus fortement que de jour en jour se montrait l'impossibilité d'entreprendre un long voyage, il résolut de partir pour Marseille «où du moins il aurait du soleil et de la chaleur et se ferait soigner à la Conception par le chirurgien qui l'avait opéré». Enfin, de là il serait «à portée de se faire embarquer pour Aden, au premier mieux senti».

Le 23 août 1891, un mois juste après son arrivée, il repartait. [...]

A 9 heures et demie, il se réveille en sursaut et ordonne le départ tout de suite. C'était deux heures trop tôt. Par un suprême effort, il s'habilla seul, presque entièrement. Très excité, il veut partir à tout prix, vite vite! Il refuse de prendre aucun aliment! Il n'a qu'une idée : partir! La voiture est amenée. On va l'y transporter. Alors son excitation tombe d'un coup; il promène ses regards autour de lui et pleure : «O mon Dieu! dit-il à travers ses larmes, ne trouverais-je pas une pierre pour appuyer ma tête et une demeure pour y mourir? Ah! j'aimerais mieux ne pas m'en aller! Je voudrais revoir ici tous mes amis et leur distribuer ainsi qu'à vous ce que je possède.»

Rien ne saurait rendre l'accent de ses paroles. C'était le désespoir d'un être supérieur pleurant ses amis et sa vie; c'était la résignation d'un martyr à la mort. Il nous tenait contre son cœur, dans ses pauvres bras; il sanglotait. Nous lui disions: «Reste, veux-tu? On te soignera bien, on ne te quittera plus jamais».

Mais les pas lourds des domestiques qui viennent pour le porter se font entendre : «Non, répond-il en refoulant ses larmes, il faut essayer de guérir.» [...]

Coup de sifflet. Voici le train. Arthur dans son fauteuil est transporté, puis hissé dans le wagon, hélas! non sans souffrance. Péniblement il s'installe sur les coussins.

La trépidation du train lui est cruelle. Il pleure. Oh! ce moignon, quel bourreau! Il le tient à deux mains : «Que je souffre, que je souffre!» répète-t-il. Les oreillers et les coussins sont empilés sur la banquette de face. Il essaye de s'y appuyer, de se mettre debout, de s'asseoir. Mais aucune position ne lui est favorable; le dos, les reins, les épaules, les bras, surtout l'épaule et l'aisselle droites et le moignon sont autant de foyers atrocement douloureux. Il s'affaisse brisé par l'effort. «Je croyais, dit-il, prendre intérêt au voyage et m'y distraire un peu; mais je vois que c'est fini, je n'aurai plus aucun plaisir, je suis trop mal!»

Amagne. Changement de train et vingt minutes d'arrêt.

A la requête formulée, les employés s'empressent de descendre Arthur. On le mène en fauteuil roulant dans la salle d'attente grande ouverte.

Quand le mois d'avant, il était arrivé ici, le transbordement avait été moins pénible qu'aujourd'hui et il avait alors l'espoir d'un mieux à venir... Il compare avec tristesse le voyage passé avec le présent, et il constate combien il s'est affaibli. De grosses larmes roulent sur ses joues couvertes d'une rougeur inquiétante. Il se plaint, mais sans égoïsme ni monotonie. Au contraire, il s'enquiert avec bonté des besoins présumés de qui l'accompagne et exige, avec douceur, qu'on ne se prive de rien pour le servir. [...]

Paris. Il est environ 6 heures et demie du soir. L'engourdissement résultant de la fatigue a atténué l'angoisse et le supplice de la descente. Hésitation. Peut-être serait-on plus efficacement soigné ici qu'à Marseille? Et puis... c'est Paris et, après tant d'années d'existence presque sauvage, c'est à Paris qu'il conviendrait de contempler le monde civilisé... En tout cas, on y couchera à Paris; et on réfléchira pendant la nuit.

Mais, au cours du trajet de la gare de l'Est à l'hôtel, la pluie s'étant mise à tomber et le fiacre secouant terriblement, Arthur renonça à séjourner en ce Paris; et, changeant l'itinéraire, il commanda au cocher de le conduire sur-le-champ à la gare du P.-L.-M. [...]

Effondré lamentablement sur des sièges de velours, à P.-L.-M. il attendait impatiemment le départ de l'express vers Marseille. A jeun depuis le matin, il essaya de prendre quelque nourriture; mais tout lui répugnait, il dut s'abstenir. L'énervement et la fièvre excitaient son cerveau jusqu'au délire. Il eut un instant d'extraordinaire et navrante gaieté, occasionnée par la vue de l'uniforme d'un officier. Il envoya chercher une potion soporifique. Comme aux moments d'exaltation fébrile succédaient de profondes prostrations, ce fut un corps presque inerte que les employés, au moment du départ, vers 11 heures du soir, transportèrent le plus doucement possible au coupé-lit réservé, où tout de son long, fut étendu l'infortuné voyageur. [...]

Le chagrin, le jeûne, la faiblesse, la souffrance allumèrent en lui une fièvre intense; le délire s'affirma et, pendant cette affreuse nuit où l'express emportait Arthur Rimbaud vers Marseille, la personne qui l'accompagnait, agenouillée et recroquevillée dans l'espace exigu, assista au plus effroyable paroxysme de désespoir et de torture physique qui se puisse imaginer. [...]

La chaleur méridionale se faisait sentir. On étouffait dans l'étroit compartiment. Le coupé était une infernale prison d'où il n'y avait aucun moyen de s'évader.

Arles; La Camargue, Marseille.

Vers le soir, à la descente du train, Arthur fut transporté à La Conception, où il se fit inscrire sous le nom de *Jean Rimbaud*.

Il ne devait plus sortir vivant de sa chambre d'hôpital.

Isabelle Rimbaud
Reliques,
Mercure de France, 1922

«…Ce Quelqu'un…»

«Mes souvenirs : plutôt ma pensée, souvent, à ce Quelqu'un…», écrit Mallarmé dans sa lettre à M. Harrison Rhodes, en avril 1896 – et souvent, depuis, les pensées d'autres poètes et écrivains ont prolongé son «admiration inachevée».

Rimbaud ceci, Rimbaud cela – catholique, bolchévique, musulman, bouddhiste, esclavagiste, etc. – cinquante années de bêtisier ont été préfacées d'avance par Verlaine (1888), dont il importe d'expliquer les sous-entendus : *«Bien des avis se partagèrent sur Rimbaud. D'aucuns [qui ne méritent pas d'être nommés] ont crié [ils parlent d'autorité, sans réfléchir] à ceci et à cela [ils disent n'importe quoi]…»* A tous ces jugements péremptoires qui présentent un Rimbaud à facettes multiples, il faut opposer la réflexion profonde et continue des poètes et écrivains, commencée par Mallarmé : parce que Rimbaud incite ou invite à écrire; parce qu'il inhibe, parfois, ceux en qui il amorce ce désir; parce qu'il atteint très vite à la perfection, et invente des formes nouvelles; parce qu'il abandonne la littérature, posant à vif les questions fondamentales – pourquoi écrire, que peut la poésie, quelle est sa relation à la vie et au réel… Pour toutes ces raisons, la plupart des poètes et des écrivains sont revenus depuis un siècle à ce Quelqu'un, menant une méditation convergente, une *Recherche de la base et du sommet, comme dit René Char (1956) :*

Chaque mouvement de l'œuvre [de Rimbaud] et chaque moment de sa vie participent à une entreprise que l'on dirait conduite à la perfection par Apollon et par Pluton : la révélation poétique, révélation la moins voilée qui, en tant que loi, nous échappe, mais qui, sous le nom de phénomène noble, nous hante presque familièrement.

1896. Mallarmé

«La consternante page de Mallarmé sur Rimbaud», prétendait Aragon en septembre 1946 dans ses Chroniques du bel canto, *reste l'une des plus belles et des plus justes, et en tout cas la première – en*

complicité avec Verlaine; elle a aussi valeur de témoignage : malgré sa trop brève rencontre en 1871 avec le jeune «paysan», Mallarmé a tout compris de cette «carrière hautaine, sans compromission».

Estimez son plus magique effet produit par l'opposition d'un monde antérieur au Parnasse, même au Romantisme, ou très classique, avec le désordre somptueux d'une passion on ne saurait dire rien que spirituellement exotique. Eclat, lui, d'un météore, allumé sans motif autre que sa présence, issu seul et s'éteignant. Tout, certes, aurait existé, depuis, sans ce passant considérable, comme aucune circonstance littéraire vraiment n'y prépara : le cas personnel demeure, avec force. [...]

Je ne l'ai pas connu, mais je l'ai vu, une fois, dans des repas littéraires, en hâte, groupés à l'issue de la Guerre – le Dîner des Vilains Bonshommes, certes, par antiphrase, en raison du portrait, qu'au convive dédie Verlaine. «L'homme était grand, bien bâti, presque athlétique, un visage parfaitement ovale d'ange en exil, avec des cheveux châtain clair mal en ordre et des yeux d'un bleu pâle inquiétant.» Avec je ne sais quoi fièrement poussé, ou mauvaisement, de fille du peuple, j'ajoute, de son état de blanchisseuse, à cause de vastes mains par la transition du chaud au froid rougies d'engelures. Lesquelles eussent indiqué des métiers plus terribles, appartenant à un garçon. J'appris qu'elles avaient autographié de beaux vers, non publiés : la bouche, au pli boudeur et narquois, n'en récita aucun. [...]

Je sais à tout le moins la gratuité de se substituer, aisément, à une conscience : laquelle dut, à l'occasion, parler haut, pour son compte, dans les solitudes. Ordonner, en fragments intelligibles et probables, pour la traduire, la vie d'autrui, est tout juste, impertinent : il ne me reste que de pousser à ses limites ce genre de méfait. Seulement je me renseigne. – Une fois, entre des migrations, vers 1875, le compatriote de Rimbaud et son camarade au collège, M. Delahaye, à une réminiscence de qui ceci puise, discrètement l'interrogea sur ses visées, en quelques mots, que j'entends, comme – «eh! bien, la littérature?» l'autre fit la sourde oreille, enfin répliqua avec simplicité que «Non, il n'en faisait plus» sans accentuer le regret ni l'orgueil. «Verlaine?» à propos duquel la causerie le pressa : rien, sinon qu'il évitait, plutôt comme déplaisante, la mémoire de procédés, à son avis, excessifs!

L'imagination de plusieurs, dans la presse participant au sens, habituel chez la foule, des trésors à l'abandon ou fabuleux, s'enflamma de la merveille que des poèmes restassent, inédits peut-être, composés là-bas. Leur largeur d'inspiration et l'accent vierge! On y songe comme à quelque chose qui eût été; avec raison, parce qu'il ne faut jamais négliger, en idée, aucune des possibilités qui volent autour d'une figure, elles appartiennent à l'original, même contre la vraisemblance, y plaçant un fond légendaire momentané, avant que cela se dissipe tout à fait. J'estime, néanmoins, que prolonger l'espoir d'une œuvre de maturité nuit, ici, à l'interprétation exacte d'une aventure unique dans l'histoire de l'art.

Stéphane Mallarmé,
Médaillons et portraits, 1896

1919. Claudel

Stimulé par la fréquentation du cénacle de Mallarmé, Paul Claudel (1868-1955) se dit «ensemencé» par Rimbaud, dont il lit les Illuminations *en 1886, dès leur parution : il en reçoit la révélation de la foi catholique (25 décembre 1886). Mais davantage peut-être que dans les célèbres écrits de Claudel sur Rimbaud, «mystique à l'état sauvage», c'est paradoxalement pendant cette messe au loin, à Rio de Janeiro, que le poète de* Tête d'or *médite, disait Henri Guillemin, «les plus belles pages sur Rimbaud».*

La chose qui a mis Rimbaud en marche et qui l'a chassé de lieu en lieu toute sa vie,

(On m'a montré son portrait à demi effacé là-bas la face noire près de ce fleuve d'Ethiopie.)

Il est pareil à cette femme qui n'a point de repos à cause de cette pièce d'argent qu'elle sait qu'elle a perdue,

A ce marchand à qui on a parlé d'une perle unique, il quitte son toit aussitôt et déjà il a tout vendu,

Il n'y a point de repos pour lui, il n'y a point de patrie pour lui, et l'art est une décision, et l'amour est une équivoque,

A cause de cette clef du festin ancien qu'il a perdue, à cause de ce bonheur perdu jadis qui l'avertissait au chant du coq!

Le seul devoir est de se tenir libre, il échappe à toutes les mains,

Et puisque ce monde est désert, la consigne est d'y marcher comme Caïn.

Ce qu'on appelle réalité des choses, à force de nous faire anonymes nous finirons bien par la trouver en défaut, nous finirons bien par la trouver assoupie!

A force d'être étrangères les choses finiront bien un jour par le Paradis!

(Il faut trouver le poste juste et que rien ne distraie ma surveillance.

J'ai besoin de trop d'attention pour ne pas faire silence.)

Le délice qui est associé à leur être et la communication qu'elles contiennent,

Je finirai directement par l'entendre,

autrement qu'au travers de ces paroles païennes!

A moi le maximum de désolation dans le maximum de lumière!

Tant que je n'ai pas trouvé le Paradis, la vraie place pour moi est ce qui ressemble le plus à l'Enfer.

Paul Claudel,
La Messe là-bas,
NRF, 1919

1923. Ferrandi

Témoignage. Benjamin Crémieux publie dans Les Nouvelles littéraires *du 20 octobre 1923 une lettre (à Ottone Schanzer) de l'explorateur italien Ugo Ferrandi, qui fit plusieurs voyages en compagnie de Rimbaud, et qui tenait par ailleurs un journal de bord (extraits parus dans* La Table Ronde, *janvier 1950). Solitude de Rimbaud, courage physique, insertion parfaite avec les indigènes et les Arabes, générosité et mauvaise humeur : tous les témoignages concordent, mais ils n'ont pas été écoutés.*

Je fis la connaissance de Rimbaud à Aden, au début de 1885 (si ma mémoire ne me trompe pas). Il y était venu de la côte française des Dankals pour régler l'achat d'une caravane pour le Choa. La caravane était composée d'un chargement de fusils qui appartenaient à un certain Labatut, Français, qui, malade, rentrait au pays.

Vers le milieu de 1886, je trouvais Rimbaud à Tadjoura, il n'avait pas encore pu partir pour l'intérieur. A Tadjoura se trouvait également alors la caravane de Paul Soleillet, l'explorateur bien connu du Sahara algérien, qui tomba malade et retourna à Aden où il mourut.

La caravane Soleillet et la caravane Franzoj, dont je faisais partie, étaient campées sous la tente dans le bois des palmiers, à côté du village Dankal : Rimbaud, au contraire, habitait dans une des cases du village même.

Ses visites à nos campements étaient très fréquentes, et bien qu'il entretînt des rapports cordiaux avec ses compatriotes, il goûtait notre amitié.

Franzoj, journaliste et polémiste connu, était un grand amateur de littérature française et latine (il lisait constamment Horace dans le texte, peu commode comme on sait) et c'étaient, avec Rimbaud, de longues discussions littéraires – des romantiques aux décadents. Par contre, je harcelais Rimbaud de questions de caractère géographique… ou islamique. Il faut noter que Rimbaud avait, quelques années plus tôt (durant l'occupation arabe du Harrar) tenté de pénétrer dans l'Ogaden. Arabisant de premier ordre, il tenait, dans sa case, de véritables conférences sur le Coran aux Notables indigènes.

Grand, maigre, avec des cheveux qui commençaient déjà à grisonner aux tempes, vêtu à l'européenne, mais d'une façon sommaire, c'est-à-dire des pantalons plutôt larges, d'un tricot, d'une veste assez commode, de couleur gris-kaki, il ne portait en guise de couvre-chef qu'une petite calotte, grise également, et il défiait le soleil torride de la Dankalie comme un indigène. Bien qu'il eût un mulet il ne s'en servait jamais dans les marches, et toujours à pied devançait la caravane.

Détail intime : quand il éprouvait certain tout petit besoin, il s'accroupissait comme les indigènes; aussi ces derniers le considéraient-ils un peu comme musulman. Il me conseillait de l'imiter, voyant la connaissance que j'avais des usages islamiques, acquise dans mes pérégrinations, quelques années auparavant, à travers le Fayoum.

Après plusieurs mois de séjour à Tadjoura, je dus quitter la Dankalie et je sais que Rimbaud, peu après mon départ, avait pu pénétrer avec sa caravane dans le Choa. C'était vers octobre 1886. Rimbaud me donna des indications claires et précises sur Tadjoura que j'aurais désiré publier avec quelques autres notes de moi, mais le destin ne le permit pas. Je conserve encore quelques feuillets de ces notes de Rimbaud.

Ugo Ferrandi,
Lettre du 7 août 1923,
Les Nouvelles littéraires,
20 octobre 1923

1930 Rivière

Entreprise dès 1914 (N.R.F. de juillet et d'août) puis publié chez Kra à titre posthume en 1930, le Rimbaud de Jacques Rivière (1886-1925), bien qu'il soit orienté explicitement vers les dogmes catholiques, et qu'il méconnaisse la biographie, en particulier la période abyssine, formule le premier ce que l'on pourrait appeler la métaphysique immanente de Rimbaud.

Il faut se garder de prendre Rimbaud pour un bohème; il ne faut pas le croire lorsqu'il se peint lui-même dans ses premiers vers «débraillé comme un étudiant»; il est bien autre chose qu'un voyou. Le visage ébouriffé et désordonné que lui prête Fantin-Latour, s'il n'est pas sans vraisemblance, cependant risque de suggérer une fausse interprétation de sa révolte. La bohème est une protestation contre la société et ses usages, contre la hiérarchie des classes, contre l'organisation que les hommes se sont eux-mêmes imposée. [...]

Rimbaud refuse tout en bloc : c'est contre la condition humaine qu'il s'élève, bien mieux : contre la condition physique et astronomique de l'Univers. Là est l'insupportable : dans tout. Etre vivant : voilà l'horreur! Etre là, subir, admettre, durer : voilà ce qui ne se peut faire sans honte, sans exécration, sans vengeance! [...]

Au fond ce que dit Rimbaud n'a pas de sens; je veux dire : de sens vers nous. Son but est prochain, immédiat, égoïste. En écrivant il ne travaille qu'à se débarrasser de son innocence. Elle l'étouffe; l'imperfection de ce monde -là maintenant en lui comprimée, elle pèse contre les parois de son âme. Pour échapper au supplice de ce continuel effort intérieur, il tâche de la dégager, de lui trouver une issue, de lui rendre de l'espace, au moins en imagination. [...]

Il est clair qu'une telle œuvre ne peut ni ne doit être étudiée suivant les méthodes habituelles de la critique. Il convient non pas de l'analyser, mais de la palper, de la constater pour ainsi dire dans toutes ses parties. Pas d'opération à lui faire subir, pas d'extraction à tenter. Tâchons seulement d'y reconnaître partout l'innocence. – Elle est composée de motifs semblables à des thèmes musicaux, de groupes d'images qui reviennent de temps en temps et se chassent les uns les autres. Essayons seulement en regardant chacun d'eux tour à tour avec une attention un peu insistante, de le faire apparaître comme un des visages de cette innocence immanente à l'œuvre entière.

Jacques Rivière,
Rimbaud, 1913-1914

1942. Cingria

«On admire, on réfléchit, on repart», écrivait Charles-Albert Cingria (1883-1954), poète suisse d'expression française, écrivain majeur.

Rimbaud inaugure autre chose – et puis ce n'est pas lui seulement, c'est la France qui inaugure, et c'est comme un soleil blanc qui monte, qui fait un bruit de cymbale. Ce n'est pas seulement plus méritant – on se moque bien de ce qui est méritant : c'est beaucoup plus net et beaucoup plus sain – moins empelonné à coup de ruse sur l'être virtuose – et surtout c'est jeune. Démocratique et jeune, un dimanche, les mains dans les poches. Ce qu'il y a, qui fait surtout la différence, c'est qu'il y a un sex-appeal à situer, qui faisait jusque-là défaut toujours, dans les moindres syllabes de la poésie de Rimbaud, et que cela on le trouvera difficilement chez un Nordique. Il faut de temps en temps le trottoir simplement, et passer du trottoir à l'océan alors que se désole le dernier réverbère.

Charles-Albert Cingria,
«Rimbaud le donneur» :
Poésie 42, Janvier 1942, N°1.
In *Œuvres complètes,* vol. VII,
Editions l'Age d'Homme, Lausanne.

1942. Daniel-Rops

Poésie 41, la revue «des Poètes casqués», *fondée aux Armées par Pierre Seghers, publie un numéro spécial :* Arthur Rimbaud est mort il y a cinquante ans. *Réponse de Daniel-Rops (1901-1954), directeur de la revue* Ecclesia :

Son point de départ n'est rien autre que la constatation de notre irrémédiable souillure. Ce monde où «chacun est un porc», cet état de vie associé aux besognes serviles, ce «siècle à mains», voilà ce qu'il découvre lorsque, sorti des jardins de l'enfance, il ouvre sur la terre ses yeux bordés de pervenche. La pollution universelle, il n'est pas assez de l'observer autour de soi; en chacun de nous, se nouent avec elle d'inavouables complicités. L'horreur du monde et l'horreur de soi se rejoignent. Cet enfant de quinze ans a plongé dans le gouffre infernal, au cœur de l'abjection. [...]

Puisque je sens en moi tant d'abjection et que j'en souffre, ne pourrais-je pas abolir cette souffrance en en faisant disparaître la cause? la redoutable connaissance du bien et du mal, que l'homme a reçue de Dieu, lors de la chute, comme le plus lourd des châtiments? Ne pourrais-je pas m'évader du péché, être semblable à l'animal, au sauvage, au païen? Combien de poèmes de Rimbaud ne portent-ils pas la trace de cette espérance! «Je suis une brute!» c'est bientôt dit. Mais non, on n'échappe pas à la loi. «L'aiguillon de la mort, c'est le péché, dit saint Paul; et la puissance du péché, c'est la loi.» On ne sort de cette loi qu'en sortant de la condition mortelle; vivant, on n'échappe pas plus au péché qu'à la mort. [...]

Et sa grandeur humaine est d'avoir osé cette expérience. On dirait presque: peu importe qu'il ait été, à son lit d'agonie, celui que nous a dit Isabelle, ce converti parmi les linges blancs et les cierges allumés; on ne le dira pas, car il importe que cette âme ait été sauvée, il nous importe pour elle et pour la reconnaissance que nous lui avons. Mais quand à nous, la leçon qu'il nous donne a plus de portée que celle d'une conversion à l'article de la mort. «N'ayant rien d'autre à révéler, dit de lui Claudel, sinon que nous ne sommes pas au monde!»

Daniel-Rops,
Ecclesia, 1942

1946. Blanchot

A propos de la parution des œuvres complètes de Rimbaud dans la collection de la Pléiade, en 1946, Maurice Blanchot ne s'interroge pas seulement sur les raisons de l'abandon de la poésie par Rimbaud mais, le premier, il en pose la problématique.

Pourquoi paraît-il surprenant qu'un esprit, bien doué pour les lettres, tout à

coup tourne le dos à la littérature, se désintéressant complètement d'une activité où il excellait? Qu'il y ait, dans un tel refus, scandale pour tous, montre quelle valeur incommensurable tous attachent à l'exercice de la poésie.

Le scandale de Rimbaud a pris plusieurs formes : d'abord, il écrit des chefs-d'œuvres, renonce à en écrire d'autres alors qu'il paraît capable d'en produire beaucoup. Renoncer à écrire, quand on a donné la preuve qu'on était grand écrivain, ne va absolument pas sans mystère. Ce mystère augmente quand on découvre ce que Rimbaud demande à la poésie : non pas de produire des œuvres belles, ni de répondre à un idéal esthétique, mais d'aider l'homme à aller quelque part, à être plus que lui-même, à voir plus qu'il ne peut voir, à connaître ce qu'il ne peut connaître – en un mot, faire de la littérature une expérience qui intéresse le tout de la vie et le tout de l'être. De ce point de vue, l'abandon devient un bien plus grand scandale. Le poète ne renonce pas à une activité privilégiée, mais à une possibilité qui, lorsqu'elle a été entrevue et poursuivie, ne peut être détruite sans une diminution au regard de laquelle suicide et folie ne sont rien.

Et si grand est le respect de l'homme pour la décision d'aller à l'extrême, si grande la certitude que l'on ne peut trahir un tel effort qu'en lui obéissant, que le renoncement de Rimbaud, loin d'être tenu pour une infidélité au mouvement qui l'a inspiré, en est apparu comme le moment supérieur, celui où il a vraiment touché le sommet et qui, à cause de cela, nous reste inexplicable. Ainsi, avec Rimbaud, non seulement la poésie dépasse le domaine des œuvres et des choses écrites pour devenir l'expérience fondamentale de l'existence,

mais elle annexe son absence, elle s'établit sur son refus. [...]

Le silence ne date pas de 1873. Rimbaud, même quand il veut «trouver une langue», a toujours parlé le moins possible. Dans le monde, il n'ouvre guère la bouche. Il est taciturne, parfois jette une injure, donne des coups. «Je m'imagine le rencontrer un jour en plein Sahara, après plusieurs années de séparation, écrit l'un de ses camarades. Nous sommes seuls et nous nous dirigeons en sens inverse. Il s'arrête un instant. – Bonjour, comment vas-tu? – Bien, au revoir. Et il continue sa route. Pas la moindre effusion. Pas un mot de plus.» *Plus de mots. Je ne sais plus parler.* Tous ses poèmes, le moindre de ses textes signifient la même aridité supérieure, le besoin de tout dire dans un temps d'éclair, étranger à la faculté de dire qui, elle, a besoin de durée. *Assez vu. Assez eu. Assez connu.* Tel est le «départ» qu'en écrivant il n'a jamais fait que recommencer, départ qui, un jour, a lieu et qui, à la fin, aboutit à ces lignes : «Que voulez-vous qu'on vous écrive...? Qu'on s'ennuie, qu'on s'embête, qu'on s'abrutit; qu'on en a assez, mais qu'on ne peut pas en finir, etc., etc.! Voilà tout, tout ce qu'on peut dire, par conséquent; et, comme ça n'amuse pas non plus les autres, il faut se taire.»

Maurice Blanchot,
Le Sommeil de Rimbaud,
La Part du feu, Gallimard, 1972

1955. Bounoure

Gabriel Bounoure n'a publié qu'un livre de son vivant, Marelles sur le parvis *(1953). Au Caire, en 1955, dans une collection dirigée par Edmond Jabès, il publiait une plaquette admirable, tirée à deux cents exemplaires,* Le silence de Rimbaud.

A un certain moment, tout à coup, son œuvre lui devient inhabitable. Il éprouve pour elle cette haine du domicile dont parle Baudelaire. Elle représente à ses yeux un stationnement et un abri, donc un lieu clos et bourgeois, un confort haïssable, – en dépit de toutes les lézardes que sa violence de tous côtés sut ouvrir dans les parois du poème. Il faut à tout prix qu'il déménage de son œuvre pour un dépaysement absolu. Tout ce qui est passé lui fait horreur et il ne résiste plus à son besoin de silence et d'espace, d'horizons inconnus, d'hommes nouveaux. Il lui faut ces pays qui ressemblent à nos continents imaginaires, ces mirages sur les étendues anéanties de soleil. Sur cette terre où nos demeures sont d'un jour, nos demeures de mots ne méritent pas, vraiment, qu'on y séjourne plus d'une heure. Vrai nomade. En route et sans carnet de route. Rimbaud termine l'ère humaniste : il ouvre un temps nouveau où l'homme ne compte plus sur l'œuvre, ni sur la gloire pour s'éterniser. [...]

C'est une vue très plate et très fausse que de prêter à Rimbaud le dessein de chercher dans une réussite temporelle une revanche contre le tarissement supposé de son esprit. S'il avait voulu avant tout faire fortune, il se serait établi à Charleville marchand d'engrais ou épicier en gros. Mais non! Il a découvert la liaison très mystérieuse qui existe entre les trois idées de secret, d'exil et d'immolation. Il a découvert aussi que la poésie ne peut pas aboutir, à cause sans doute de quelque empêchement fatal qui tient à la structure de ce monde. La beauté même contient un appel à la mort. [...]

«Tu as bien fait de partir, Arthur Rimbaud» s'écrie René Char dans un de ses plus beaux poèmes. Et il a raison d'approuver l'exilé volontaire dans sa partance. Mais il faut voir que le vrai départ de Rimbaud ce n'est pas quand il s'embarque pour Aden, c'est quand il rature son texte. Un texte est un terminus. L'acte dernier du voyageur d'Ethiopie n'a que l'apparence d'une négation. Il affirme au contraire qu'il n'y a pas de terminus.

Gabriel Bounoure,
Le Silence de Rimbaud, Le Caire, 1954

1955. Richard

Avec Jean-Pierre Richard, Poésie et profondeur, *le critique est lui-même écrivain : «Rimbaud ou la poésie du devenir».*

«A trois heures du matin, la bougie pâlit : tous les oiseaux crient à la fois dans les arbres : c'est fini. Plus de travail. Il me fallait regarder les arbres, le ciel, saisis par cette heure indicible, première du matin.» (Lettre de Rimbaud à Delahaye, juin 1872).

Cette heure indicible, c'est l'heure rimbaldienne par excellence, l'heure du commencement absolu, de la naissance. Rimbaud se lève en même temps que le soleil. Trois heures du matin : c'est entre nuit et jour, la première s'achève, mais le second n'a pas vraiment paru. Et dans ce creux temporel, cet hiatus sensible nommé aube, se produisent soudain une explosion de force et une pensée, une brusque giclée d'existence. D'un seul coup le silence se fait cri, l'immobilité se mue en un frisson d'ailes battantes, un charme a saisi arbres et ciel. Moment vertigineux et puissamment ambigu où quelque chose se détruit *(C'est fini, Plus de travail),* pour que quelque chose d'autre se produise. C'est ce même moment, cette même fulgurante naissance de la pensée à elle-même que décrit aussi la fameuse lettre du *Voyant :*

«JE est un autre. Si le cuivre s'éveille clairon, il n'y a rien de sa faute...» Un autre, on ne sait pas comment issu du JE, mais qui «bondit» d'un seul coup de la profondeur intérieure sur «le devant de la scène» et l'emplit de sa frénésie. L'ancienne, la morose unité du moi éclate soudain et se métamorphose en une multiplicité véhémente. Et dans le même mouvement les choses se libèrent aussi; elles échappent à l'empire de l'habitude ou de la raison; elles jaillissent et s'éparpillent aux quatre coins d'un ciel tout neuf.

Jean-Pierre Richard,
Rimbaud ou la poésie du devenir,
Le Seuil, 1955

1961. Bonnefoy

Le poète Yves Bonnefoy («c'est bientôt périr de n'être que parole…») offre à Rimbaud l'un de ses plus prestigieux commentaires.

Rimbaud n'a donc fait que se heurter contre l'impossible sans rien résoudre, sans qu'aucun miracle ait eu lieu. Il n'a même pas choisi nettement – philosophiquement – entre l'individu souffrant et l'homme de gloire, entre christianisme et cabale, ne condamnant sa rêverie de fête et de joie, dans *Une saison en enfer,* que pour la reprendre aussitôt, puis encore l'abandonner, dans ses derniers poèmes en prose. Il fut semblable à la *flache* en Ardenne, au mois de mai, qui dans la vie de toute part ranimée est demeurée *noire* et *froide*. Il a échoué, répétera-t-on, et c'est vrai qu'il en fut ainsi pour ce qui est de lui-même, je veux dire des possessions qu'il a rêvées d'avoir et qu'il n'a pas eues. Son espoir absolu ne lui a donné, après des instants de joie fallacieuse, qu'un long crépuscule d'existence et beaucoup d'amertume, certainement.

Et pourtant, qui oserait dire que cet espoir, si follement affirmé, n'aura pas enfin gain de cause? […]

L'homme de notre temps peut apprendre de lui bien des choses qui l'aideront à lutter. La différence entre objet et présence, entre existence et simple survie. L'antagonisme ruineux de l'amour et d'un certain respect de la loi morale. Une foi dans la vie qui, peu à peu en s'affirmant, et s'emparant d'abord des consciences, va pouvoir être un jour l'éducation enfin bénéfique d'un enfant. […]

La lutte de Rimbaud n'aura fait que rendre la vie, délivrée de ses entraves morales, à ses limitations absolues. Elle l'aura affranchie de ses misères, mais seulement pour l'ouvrir aux malheurs nouveaux du tragique, ces malheurs dont le chant est clair, et que Nietzsche a même décrits comme extase joyeuse.

La grandeur de Rimbaud restera d'avoir refusé le peu de liberté que dans son siècle et son lieu il aurait pu faire sien, pour témoigner de l'aliénation de l'homme, et l'appeler à passer de sa misère morale à l'affrontement tragique de l'absolu. C'est cette décision et sa fermeté qui font que sa poésie est la plus libératrice (et par conséquent une des plus belles) de l'histoire de notre langue.

Yves Bonnefoy,
Rimbaud, Le Seuil, 1961

1983. Dhôtel

L'auteur du Pays où l'on n'arrive jamais *était qualifié pour comprendre Rimbaud à plus d'un titre; dans* Rhétorique fabuleuse, *il parle d'Arthur comme d'un gars de son village; en non-dupe.*

La poésie de Rimbaud est faite de retournements et aussi bien sa vie entière mais on ne s'est jamais demandé ce qu'étaient ces retournements.

On s'est précipité sur l'affirmation que Rimbaud avait «horreur de tous les métiers» et puis sur la constatation qu'il s'est échiné dans un métier, loin de toute littérature. Pour le suivre on aurait bien voulu rattraper sa pensée et retrouver des *poèmes* écrits plus tard en secret. Il n'y avait rien à suivre ni à rattraper. Tout était parfaitement démoli selon son habitude.

En fait ce que Rimbaud refusait ce fut toujours de se situer. L'éternelle merveille (tombée de quel ciel?) ne fait éprouver sa présence que parce qu'elle est une intelligence *insituable.* Elle existe parce qu'elle est l'insituable et comme telle *nettement perçue.* Rimbaud lui-même se voulait insituable. Se croire proscrit, révolté, «forçat intraitable», «bête» ou «nègre» c'étaient encore des situations. Mais bientôt il s'égare obstinément dans les voyages sans but, et d'instinct il semble vouloir gagner sa vie d'une drôle de façon, tout à fait honnête par surcroît, dans des pays impossibles, en s'ingéniant à perdre toute distinction, monnayant l'ivoire et les casseroles à la petite semaine, et se lançant dans un trafic d'armes rien que pour mettre encore sa vie en pièces. De bout en bout, au temps de sa poésie et plus tard, ce sont des ruptures entre quelque merveille *du dehors* (poésie, «nobles ambitions», souvenirs d'enfance, fortune, éternité enfin) et la misère d'ici. Comme si toute rupture, non pas voulue ni même désirée mais réellement *subie* («les malheurs nouveaux») illuminait une impossible alliance entre ces deux profondeurs (céleste et terrestre) également vivantes. Non sans faire appel à des «sauts d'harmonie inouïs».

Non, vous ne pourrez vous procurer rien de tout cela en magasin. Ce ne sont pas des objets ni des idées, seulement des lumières inexplicables de partout et de toujours.

Ainsi l'affreux chiffonnier ne pouvait manquer de vous crier que tout Rimbaud est à solder, afin d'avoir le loisir de vous proposer sur un coin de trottoir, non plus des reproductions ni des ouvre-boîtes, mais un vrai bric-à-brac où découvrir quelques cassures étincelantes et uniques, à des prix défiant toute concurrence.

André Dhôtel,
«Rimbaldiana»,
Rhétorique fabuleuse, 1983

A Charleville-Mézières, un musée, une bibliothèque

Dans sa ville natale, qu'il appelait Charlestown, Arthur Rimbaud a laissé ses marques. Le collège où l'adolescent a poursuivi ses études, aujourd'hui Bibliothèque municipale, et le Vieux Moulin, devenu Musée Rimbaud, abritent manuscrits, portraits et autographes du poète. Leurs conservateurs précisent les acquisitions et les objectifs de ces deux institutions.

Arthur Rimbaud dans les Ardennes

Rimbaud n'a jamais manqué, à chaque fois qu'il en avait l'occasion, de manifester son aversion pour Charleville, dans des phrases acerbes et avec des mots jamais trop forts. On pourrait d'ailleurs, en reprenant sa correspondance, dresser une sorte de florilège de tout ce qu'il a pu écrire sur sa ville natale ou sur le petit village de Roche, où sa mère possédait une ferme :

«Vous êtes heureux, vous, de ne plus habiter Charleville! – Ma ville natale est supérieurement idiote entre les petites villes de province. Sur cela, voyez-vous, je n'ai plus d'illusions. Parce qu'elle est à côté de Mézières, – une ville qu'on ne trouve pas...» (lettre à G. Izambard, 25 août 1870).

«Je meurs, je me décompose dans la platitude, dans la mauvaiseté, dans la grisaille» (lettre à G. Izambard, 2 novembre 1870).

«Enfermé sans cesse dans cette inqualifiable contrée ardennaise...» (lettre à P. Demeny, 28 août 1871).

«Quelle chierie! et quels monstres d'innocince, ces paysans. Il faut, le soir, faire deux lieues, et plus, pour boire un peu. La *mother* m'a mis là dans un triste trou. [...] Je suis abominablement gêné. Pas un livre, pas un cabaret à portée de moi, pas un incident dans la rue. Quelle horreur que cette campagne française.» (lettre à E. Delahaye, dite lettre de Laïtou, mai 1873).

Enfin ces mots, écrits de Paris à Ernest Delahaye en juin 1872 :

«Je souhaite très fort que l'Ardenne soit occupée et pressurée de plus en plus immodérément. [...] J'ai évité jusqu'ici les pestes d'émigrés Carolpolmerdés...»

Comment expliquer une telle violence? Né le 20 octobre 1854, Arthur Rimbaud est issu d'un milieu modeste.

Les Cris D
Allons ange,
?
)

Son père, un militaire qu'il ne verra pratiquement jamais, cesse totalement toute visite à sa famille dès 1860. Madame Rimbaud s'occupera seule d'élever ses quatre enfants entre Charleville, où ils suivent leur scolarité, et Roche, le village des moissons et des travaux des champs.

On sait qu'Arthur a été l'un des plus brillants élèves du collège de Charleville (aujourd'hui Bibliothèque municipale) où il a collectionné les prix et les accessits. Très apprécié par ses professeurs, il montrait déjà une indépendance d'esprit difficilement compatible avec la discipline et le conformisme des programmes.

Le jeune Rimbaud fut très tôt atteint d'une boulimie de lectures, au grand dam du bibliothécaire de la Ville qui devait lui interdire l'accès à certaines œuvres! Il avait heureusement trouvé en Georges Izambard, professeur de réthorique arrivé en 1870 à Charleville, à la fois un ami et un grand pourvoyeur de livres.

Partout ailleurs

«Dès toujours», comme l'établit *l'Heure de la fuite,* et jusqu'à la fin de sa vie, Rimbaud ne cesse de partir. Entre 1870 et le début de son périple africain en

1880, il n'accomplira pas moins d'une quinzaine de départs, suivis de retours à Charleville ou à Roche : Paris, Bruxelles, Londres, Bouillon, Liège, Anvers, Stuttgart, la Suisse, Milan, Marseille, Vienne, Java, Brême, Stockholm, etc. Si Rimbaud semble fuir la «platitude» de sa ville natale, il y revient pourtant à chaque fois, comme à un port d'attache. Et des pays traversés il ne nous a pas laissé de témoignage de bonheur – ou tout du moins de mieux-être: «Tout est assez inférieur ici», écrit-il à son ami Delahaye, le 5 mars 1875, de Stuttgart. Sa correspondance d'Afrique est ponctuée de notations presque toujours négatives :

«Aden est un roc affreux, sans un seul brin d'herbe ni une goutte d'eau bonne...» (25 août 1880).

«Aden [...] est, tout le monde le reconnaît, le lieu le plus ennuyeux du monde, après toutefois celui que vous habitez» (22 septembre 1880).

«Ce climat-ci est traître pour toute espèce de maladie. On ne guérit jamais d'une blessure. [...] Le climat est très humide en été : c'est malsain; je m'y déplais au possible, c'est beaucoup trop froid pour moi. [...] Car si vous présupposez que je vis en prince, moi, je suis sûr que je vis d'une façon fort bête et fort embêtante.» (Harar, 15 février 1881).

Quant aux rares impressions contraires, elles ne suggèrent jamais l'enthousiasme : «Le pays n'est pas déplaisant» (Harar, 15 janvier 1881); «Mais enfin on y est libre, et le climat est bon» (Harar, 10 novembre 1890).

Un havre familier

Ce que Rimbaud reprochait à sa ville natale et à la campagne ardennaise, c'était, en définitive, beaucoup plus ce qu'elles représentaient comme entraves à son désir de liberté que la «grisaille» qu'il ne manquait pas de retrouver à travers le monde. La répulsion, d'ailleurs, n'allait pas non plus sans attirance : sinon, pourquoi tous ces retours au pays, et ces regrets parfois échappés?

«J'ai une soif à craindre la gangrène : les rivières ardennaises et belges, les cavernes, voilà ce que je regrette» (lettre à E. Delahaye, juin 1872).

Rien ne résume mieux cette dualité que les mots qu'il envoie, toujours à Delahaye, en mai 1873, alors qu'il est isolé à Roche : «Je regrette cet atroce Charlestown...»

«L'homme aux semelles de vent» est un voyageur qui ne trouve asile nulle part, en permanence sur le départ, dans l'espoir qu'ailleurs sera mieux. Les derniers mots qu'il écrit, sur son lit de mort à l'hôpital de Marseille le 9 novembre 1891, adressés au directeur des Messageries maritimes, révèlent encore ce même élan : «Dites-moi à quelle heure je dois être transporté à bord...»

Un musée et une bibliothèque, mémoires de la vie et de l'œuvre de Rimbaud

Pour tous ceux qui cherchent à mieux connaître le jeune poète, Charleville-Mézières est un «passage obligé».

Deux institutions municipales, sous le contrôle du Ministère de la Culture, associent leurs efforts pour rassembler les objets et documents qui témoignent de Rimbaud. Le Musée présente ses salles et ses expositions au grand public; la Bibliothèque cherche à enrichir son fond de tous les ouvrages consacrés au poète, à compléter sa collection de documents originaux.

1901 : Charleville célèbre le Rimbaud voyageur

Dix ans après sa mort, on inaugure un buste d'Arthur Rimbaud, au square de la gare à Charleville, en face du Café de l'Univers. Et même si l'on préfère alors célébrer l'explorateur plutôt que le poète, le ton est donné, les comités étaient en place et les discours officiels évoquent déjà l'idée d'un Musée.

Dès 1927, le Musée municipal voit entrer dans ses collections quelques objets ayant appartenu au poète. Mais les couverts et la timbale d'Arthur Rimbaud, son bonnet de police ou trois flacons rapportés d'Abyssinie ne forment qu'une évocation dérisoire, surtout présentés dans un Musée d'Art et d'Archéologie parmi des vestiges préhistoriques et des toiles au style très «provincial»…

Certains passionnés, parmi lesquels Les Amis de Rimbaud (association fondée en 1927 par Jean-Paul Vaillant) œuvrent pour promouvoir une plus noble évocation.

1954 : centenaire de la naissance de Rimbaud

Il faut attendre le centenaire de la naissance du poète pour qu'une salle entière lui soit consacrée au sein du Musée municipal : la sacristie de la chapelle de l'ancienne école du Sacré-Cœur! C'est dans ce lieu que l'on inaugure, en 1954, la première exposition documentaire sur Rimbaud, en présence de Georges Duhamel.

Même si le choix du lieu ne semble pas idéal, un travail considérable est mené par Stéphane Taute, bibliothécaire et conservateur; l'appui d'Henri Matarasso est alors déterminant et permet d'enrichir le musée de façon conséquente.

En 1966, les deux villes de Charleville et Mézières fusionnent. Conscient du fait qu'Arthur Rimbaud est pour sa ville le meilleur des ambassadeurs culturels, le Maire André Lebon décide de lui consacrer progressivement une place

adaptée à son importance. Ses successeurs ont poursuivi cette entreprise.

1969 : le Vieux Moulin

Ce n'est qu'en 1969 que le Musée Rimbaud trouve, au Vieux-Moulin, un lieu plus adapté, à proximité immédiate de la maison où vécut le poète.

Campé sur les eaux de la Meuse le Moulin de Charleville est un bel édifice du XVIIe siècle, dont l'élégante architecture ferme la perspective ouverte depuis la Place Ducale : Charles de Gonzague, duc de Mantoue, n'avait pas encore vingt-cinq ans en 1606 lorsqu'il décida la création de Charleville, alors principauté libre aux frontières du royaume de France, et en confiait la réalisation à Clément Metezeau, architecte tout aussi jeune.

Depuis 1980 le Musée Arthur Rimbaud a connu une intense activité

Le bâtiment, classé monument historique, a été complètement restauré; les espaces intérieurs ont été remodelés et adaptés à la visite.

Au sein de l'exposition elle-même, le visiteur est introduit à la vie et à l'œuvre du poète, essentiellement par la présentation de reproductions photographiques de divers manuscrits, dessins ou caricatures concernant Rimbaud ou ses proches. Chacun peut ainsi découvrir ses premières années à Charleville, son enfance au collège, les lettres à son professeur Izambard, ses premiers contacts avec le monde littéraire et avec Paul Verlaine, ses «fugues», ses voyages, sa vie en Abyssinie.

Les trésors du Musée Rimbaud

Bien que le Musée se réserve le droit de présenter des fac-similés pour les manuscrits et photographies qui pâtiraient d'une exposition permanente, on peut néanmoins y voir :
– le manuscrit original du sonnet de *Voyelles*,
– le portrait photographique de Rimbaud par Carjat (1872),
– l'esquisse du *Coin de table* de Fantin-Latour,
– des dessins et caricatures d'Ernest Delahaye, son camarade d'enfance,
– les photographies les plus célèbres (Rimbaud écolier, Rimbaud communiant, Rimbaud collégien),
– le palmarès du collège de Charleville, Rimbaud prix d'excellence,
– des cartes et plans lui ayant appartenu (Vienne, l'Afrique),
– la valise du poète, l'atlas de la famille Rimbaud, les pièces d'étoffe rapportées d'Abyssinie,
– le cachet de cire utilisé par Rimbaud en Afrique.

Nombreux sont, par ailleurs, les artistes qui font référence à l'œuvre et au personnage de Rimbaud. Les collections du Musée présentent entre autres :
– le portrait du poète par Fernand Léger,
– le *Bateau ivre* par Serge Charchoune,
– des lithographies de Cocteau, Miro et Picasso,
– une série de dessins et photographies d'Ernest-Pignon Ernest, situant Rimbaud dans notre époque.

Enfin le Musée prépare et présente des expositions avec des artistes contemporains : Jean-Paul Chambas, Enzo Cucchi, Luc Simon...

La Bibliothèque municipale

A l'origine couvent des religieuses du Saint-Sépulcre, transformé en partie à la Révolution en Ecole centrale, le bâtiment qui abrite aujourd'hui la Bibliothèque municipale de Charleville-Mézières a aussi été, en son rez-de-chaussée, le collège où, vers 1870, Rimbaud a suivi sa scolarité.

Dans ce même édifice, devenu bibliothèque sur les deux niveaux, soixante-dix ans plus tard, Rimbaud pénètre à nouveau, par ses livres : vers 1946, le bibliothécaire, Stéphane Taute, se préoccupe d'acquérir les œuvres du poète encore disponibles en librairie et commence ainsi à constituer, méthodiquement, ce qui va devenir le «Fonds Rimbaud».

Le «Fonds Rimbaud»

La quinzaine d'ouvrages du départ se trouve bientôt augmentée des nouvelles éditions des œuvres de Rimbaud, acquises au fur et à mesure de leur parution, ainsi que des études qui lui étaient consacrées. Par ailleurs, un certain nombre d'ouvrages épuisés sont recherchés sur le marché de l'occasion. Tout ce travail de recherche rétrospective étant considérablement facilité, dès 1949, par la précieuse bibliographie réalisée par Pierre Petitfils, *L'Œuvre et le visage d'Arthur Rimbaud*.

La politique d'acquisition systématique de documents, qu'ils soient imprimés ou autographes, est, aujourd'hui encore, maintenue avec vigilance, avec l'aide de l'Etat lorsqu'il s'agit de documents précieux.

On peut regrouper sous quelques rubriques l'ensemble des documents conservés à la Bibliothèque :
– œuvres de Rimbaud dans ses différentes éditions (œuvres complètes ou séparées, extraits, éditions originales, éditions de poche, édition de demi-luxe, éditions annotées, éditions bibliophiliques à tirage limité et illustrées par des artistes, éditions en langues étrangères...)
– livres sur Rimbaud (ouvrages imprimés, thèses et mémoires dactylographiés, microfiches, articles de revue, coupures de presse...),
– autographes (de Rimbaud lui-même, de Verlaine, de sa famille, de ses amis...)
– photographies, affiches, prospectus, films, disques et bandes magnétiques.

De nombreux donateurs ont fait bénéficier de leur générosité les collections de la Bibliothèque. C'est le cas d'Henri Matarasso qui, depuis 1949 jusqu'à sa donation officielle de 1954, a

A. RIMBAUD

UNE

SAISON EN ENFER

PRIX : UN FRANC

BRUXELLES
ALLIANCE TYPOGRAPHIQUE (M.-J. POOT ET COMPAGNIE)
37, rue aux Choux, 37
1873

permis d'enrichir le Fonds Rimbaud de façon importante. Mais il faut citer aussi Jean-Marie Carré, Suzanne Briet, Pierre Petitfils, André Lebon, Jacques Guérin et d'autres encore. De même, la plupart des chercheurs venus travailler à Charleville y ont volontiers déposé leur livre ou leur article.

Les pièces rares

Parmi les pièces les plus remarquables, il faut mentionner en tout premier lieu le manuscrit du poème *Promontoire,* ainsi que les pièces acquises lors de la vente publique à l'Hôtel-Drouot le 3 mai 1972 : la lettre de Rimbaud à Georges Izambard du 2 novembre 1870, celle à sa sœur Isabelle du 2 juillet 1891, un reçu autographe et signé de Rimbaud, daté du 22 octobre 1889 à Harar, le contrat signé le 10 janvier 1885 entre Rimbaud et son employeur à Aden, Pierre Bardey, et enfin l'édition originale d'*Une Saison en enfer.*

La Bibliothèque possède également le numéro de *La Vogue* de 1886 où furent publiées pour la première fois les *Illuminations*, ainsi que l'édition originale parue la même année. A signaler enfin un don très important effectué en 1988 : un carnet de jeunesse de Rimbaud.

Afin de faire plus largement connaître les richesses de ce fonds, un catalogue imprimé est réalisé, dont le premier volume paraît en septembre 1966, bientôt suivi par un supplément en 1969 Aujourd'hui épuisé, ce catalogue doit bénéficier d'une refonte complète en 1991 grâce à l'aide d'un universitaire, Steve Murphy. L'informatique devrait permettre ultérieurement des mises à jour quasiment immédiates.

Mode d'emploi

Tous les documents autographes du Fonds Rimbaud sont systématiquement

N° 5. — 13 *Mai* 1886

LA VOGUE

Les Illuminations

photographiés, ce qui permet de fournir des reproductions à la demande tout en préservant le document original. Celui-ci est conditionné dans une chemise de papier permanent et regroupé avec d'autres dans des boîtes confectionnées en matériaux neutres. L'ensemble de la collection est conservé dans une réserve où la température et l'hygrométrie de l'air sont surveillées.

A l'heure actuelle, le Fonds Rimbaud regroupe environ 2500 documents de toute nature, et des chercheurs français et étrangers mais aussi des curieux, des amoureux du poète font le déplacement jusqu'à Charleville-Mézières, soit pour y approfondir leur étude soit pour y trouver le document qui n'existe pas ailleurs.

«Parade sauvage»

En 1984, la Bibliothèque et le Musée, sous la dénomination commune de Musée-Bibliothèque Rimbaud, lancent une revue d'études : *Parade sauvage.*

Celle-ci a aussi publié, sous forme de numéros spéciaux, les *Actes* des colloques qu'elle a organisés : *Rimbaud ou la «liberté libre»* en 1986 à Charleville-Mézières et *Rimbaud «à la loupe»* en 1987 à Cambridge. Parallèlement, une collection «Bibliothèque sauvage» voit le jour en 1990 pour la publication d'études de plus grande ampleur.

A Charleville-Mézières,
Gérard Martin,
directeur de la Bibliothèque
et Alain Tourneux,
conservateur des Musées

REPÈRES BIOGRAPHIQUES

1854, 20 octobre :   naissance d'Arthur Rimbaud à Charleville, Ardennes.
1861   Quatre années de succès scolaires. Le père disparu en 1860.
1869   Poèmes en latin et en français (*Les Etrennes des orphelins*).
1870   Georges Izambard, professeur de rhétorique. Lettre à Théodore de Banville (24 mai). Trois longues fugues. 4 septembre, chute de l'empire. Rimbaud abandonne ses études.
1871   Période de la «voyance», de l'«encrapulement»; pendant la guerre puis la Commune. Lettres dites du voyant (13 et 15 mai), à Izambard et Demeny. (21-28 mai, la Semaine sanglante.). Rimbaud rejoint Verlaine à Paris en septembre, ayant composé *Le Bateau ivre*. Scandale au dîner des Vilains Bonshommes (décembre).
1872   *Vers nouveaux et chansons* : séjour forcé en Ardennes. A Paris en mai; entraîne Verlaine en Belgique (7 juillet), puis en Angleterre.
1873   Le «drame de Bruxelles» et *Une Saison en enfer* (achevée d'imprimer en octobre).
1874   Rimbaud écrit la plupart des *Illuminations*. Séjour à Londres avec Germain Nouveau.
1875   Il apprend l'espagnol, l'allemand, l'arabe, l'italien. Février à Stuttgart. Mars : dernière entrevue avec Verlaine. Passage à Milan. Livourne. Marseille. Maisons-Alfort. Mort de sa sœur Vitalie (18 décembre).
1876   Après Vienne, Bruxelles et Rotterdam, il s'engage dans l'armée des Indes néerlandaises (mai) : son bataillon rejoint Java, Batavia, Samarang, Salatiga. Rimbaud déserte le 15 août. Retour en Europe, comme matelot.
1877   Brême, puis Stockholm (sans doute avec le cirque Loisset); Copenhague (août); puis marche en Norvège, en direction du nord. Septembre : Marseille, Civitta-Vecchia, un mois à Rome.
1878   Hambourg (?). Traversée du Saint-Gothard (novembre). Alexandrie. Dirige 70 ouvriers à Larnaca (Chypre). Retour à Roche, malade.
1879   Traumatisé par l'hiver excessivement rigoureux, il part pour l'Orient (s'arrête à Marseille, malade).
1880   Chypre : dirige le chantier du mont Troodos, où s'élève la résidence du gouverneur anglais. Errant au long des ports de la mer Rouge, il est recueilli à Aden, à l'agence Bardey.

Parvient à Harar, Ethiopie, le 13 décembre.
1881-1884   Commerce, photographie, exploration (Boubassa), expéditions : parution de son *Rapport sur l'Ogadine,* 1884; faillite des employeurs, précipitée par la guerre. Parution à son insu des *Poètes maudits* de Verlaine.
1885   Il vit avec une femme abyssine (six mois), à Aden où il prépare une expédition d'armes pour Ménélik.
1886   Rimbaud part seul à la tête d'une caravane de 30 chameaux, portant 2 000 fusils; échec complet. Parution à son insu des *Illuminations.*
1887   Publication au Caire de ses récits dans *Le Bosphore égyptien.*
1888-1890   Commerçant indépendant à Harar. (11 caravanes de Harar à la côte).
1891   Souffrant d'une violente douleur dans le genou droit (février), Rimbaud se fait porter en civière à Zeilah (avril), liquide ses comptes à Aden. Amputation à Marseille (27 mai). Juillet à Roche. Retour à l'hôpital de la Conception, où il expire, le **10 novembre.**

Maison natale d'Arthur Rimbaud à Charleville.

BIBLIOGRAPHIE

La@ thèque essentielle :

L'œuvre

Œuvres complètes
Edition présentée et annotée par Antoine
Adam. Gallimard, Bibliothèque de la Pléiade,
1972.

Œuvres
Introduction et notes par Suzanne Bernard.
Edition revue et corrigée par André Guyaux.
Classiques Garnier, 1987.

Une saison en enfer. Edition critique par Pierre
Brunel. José Corti, 1987.

L'œuvre en poche

Poésies
Edition établie par Daniel Leuwers. Livre de
poche, 1984.

Œuvres :
1. Poésies, 2. Une saison en enfer,
3. Les Illuminations
Préface, notices et notes par Jean-Luc
Steinmetz. Flammarion, 1989.

Poésies
Présentées par Jean-Marie Le Sidaner. Orphée,
La Différence, 1989.

Œuvres : Des Ardennes au désert
Préface et commentaires de Pascaline Mourier-
Casile. Presses Pocket, 1990.

La vie

Delahaye témoin de Rimbaud
Textes réunis et commentés par Frédéric
Eigeldinger et André Gendre. A la Baconnière,
Neuchâtel, 1974.

Barr-Adjam, Souvenirs d'Afrique orientale,
1880-1887
Alfred Bardey. Editions du CNRS, 1981

Rimbaud
Enid Starkie. Traduction, préface et notes par
Alain Borer. Flammarion, 1982 et 1989

Rimbaud
Pierre Petitfils. Julliard, 1982

Rimbaud d'Arabie
Alain Borer. Editions du Seuil, coll. Fiction &
Cie, 1991

Rimbaud
Jean-Luc Steinmetz. Tallandier, 1991.

Etudes

Rimbaud par lui-même
Yves Bonnefoy. Editions du Seuil, coll. Écrivains
de toujours, 1961.

Rimbaud en Abyssinie
Alain Borer. Editions du Seuil, coll. Fiction &
Cie, 1984.

Un sieur Rimbaud, se disant négociant...
Textes d'Alain Borer et Philippe Soupault.
Travaux graphiques d'Arthur Aeschbacher,
cartes et document. Lachenal & Ritter, 1984.

La Terre et les pierres
Alain Borer (réédition du précédent, sans les
documents). Le Livre de Poche, Biblio, 1989.

Rimbaud le voyou
Benjamin Fondane. Plasma, 1979.

Arthur Rimbaud et la liberté libre
Alain Jouffroy. Editions du Rocher, 1991.

Le temps des assassins
Henry Miller. Traduit par F.-J. Temple.
Bourgois, 10/18, 1986.

«Génie» de Rimbaud
Roger Munier. Edition Traversière, 1988.

Rimbaud au fil des ans
Pierre Petitfils. Musée-Bibliothèque Rimbaud &
Centre culturel Arthur Rimbaud. Ville de
Charleville-Mezières, 1984.

Rimbaud
Jacques Rivière. Dossier établi par Roger
Lefèvre. Gallimard, 1977.

Rimbaud le voyant
André Rolland de Renéville. Thot, 1983.

Association des Amis de Rimbaud.
Renseignements : Hélène Rosebery, 30, rue de
Montpensier, 75001 Paris.

TABLE DES ILLUSTRATIONS

INDEX

CRÉDITS PHOTOGRAPHIQUES

Archives Roger-Viollet, Paris 15mg, 30/31, 44m. Bibliothèque Jacques Doucet, Paris 35, 66, 67, 68, 83d, 84g, 88/89. Bibliothèque Nationale, Paris 10, 13, 28, 46/47. Archives photographiques-Spadem 56b, 134. Archives Explorer 64b, 100b. Archives Roger-Viollet, Paris 74m, 86/87, 113d. Bibliothèque et Musée de Charleville-Mézières 12, 16, 17bd, 17g, 18/19b, 18h, 19h, 20, 21b, 21h, 22, 22b, 23b, 23h, 24/25, 25, 25h, 29, 32, 33, 36h, 36m, 38/39b, 40/41, 40, 41, 44b, 49, 53, 56/57, 57g, 60/61, 62b et 63hg, 63b, 65, 69, 73b, 73h, 74h, 74/75, 75, 81, 84/85h et m, 87, 94, 95, 96b, 97mg, 98m, 99, 101,103g, 112b, 114d, 115d, 118d, 119g, 121, 122/123, 122b, 122h, 124h, 124m, 143, 144, 146, 149, 150, 153, 155, 160, 161, 163, 164, 165, dos de couv. Jean-Loup Charmet 54.Jacques Choisnel/Seuil 126/127. Droits réservés 9, 11, 14b, 14h, 15hd, 17h, 26b, 26h, 27b,32/33, 37, 38/39h, 42/43, 46, 47, 48, 56h, 57d, 58/59, 59, 61, 62h, 62/63, 67d, 70, 72, 77, 78d, 78g, 79, 80h et b, 82/83b, 84/85m, 89d, 91, 93b, 96m, 97md, 100h, 110b, 110h, 111d, 112h, 115g, 118/119, 118g, 119d, 123, 125b, 127, 129, 130, 132, 136, 145. Giraudon 44/45, 76/77. Collection Albert Kahn 88h, 111g. Lauros-Giraudon 43h et b, 52, 54/55, 71. Martin/Collège de France 30. Collection Mataraso 64 . Musée des Arts d'Afrique et d'Océanie 103, 105d , 112/113, 116/117, 142. Musée National d'Art Moderne 140. Hugo Pratt couverture 1er plat 1, 2, 3, 4, 5, 6, 7, 120, 4e de couv. Réunion des Musées Nationaux 34, 50/51, 58, 117h. Collection Sirot-Angel 27h, 82/83h, 90/91, 92/93b, 92/93h, 114g. Société de Géographie à Paris 97h , 98b, 104, 105d, 105hg, 106/107b, 106/107h, 106b, 107b, 108/109b, 108/109h, 109b, 109hd, 109hg. Galerie Templon/Enzo Cucchi 128, 159.

LA MOSQUÉE A TOUDJOURRAH.

REMERCIEMENTS

L'auteur et les Editions Gallimard remercient tout particulièrement Yves Bonnefoy, Jean Claude Brialy, Enzo Cucchi, Charles Dobzynski, Mauro Macario, Gérard Martin, Pierre Petitfils, Hugo Pratt, Saad Salman et l'équipe de La Lanterne, Alain Tourneux, la Bibliothèque Jacques Doucet, le Musée et la Bibliothèque de Charleville-Mézières, auxquels ce livre doit de précieux documents.

COLLABORATEURS EXTÉRIEURS

Conseillère éditoriale : Claudia Moatti. Concetta Forgia a mis en couleurs certaines photographies ou gravures anciennes. Daniel Moignot a réalisé la carte de la Rimbaldie. Odile Zimmermann a assuré la recherche et le suivi rédactionnel.

Table des matières